2025年度版

TAC税理士講座

税理士受験シリーズ

法人税法

理論マスター

はじめに

最近の法人税法の理論問題は、個別問題形式だけでなく総合問題形式あるいは事例問題形式といった応用問題形式の出題がされており、50～70問の想定問題では対処できなくなっている。しかしながら、いずれの出題形式であってもその基本となるのは条文を中心とした個別理論である。

これをふまえ、本書（令和６年分の改正を考慮したもの）においては条文を基礎としつつ、合格答案の作成に必要不可欠な内容をテーマ別に収録している。

まずはこの「理論マスター」で重要論点をすべて把握し、その後に、「理論ドクター」で応用力を養成して応用理論問題に対処できる力を養っていただきたい。

この「理論マスター」を利用した受験生の中から多くの合格者が輩出されており、また、多くの合格者が本書を推薦していることからも自信をもって皆さんにお勧めすることができる。

本書を利用した受験生全員が合格の栄冠を勝ち取られることを願ってやまない。

ＴＡＣ税理士講座

凡　　　例

法	………………	法人税法
令	………………	法人税法施行令
措法	……………	租税特別措置法
措令	……………	租税特別措置法施行令
国通法	…………	国税通則法
基通	……………	法人税基本通達

引　　用　　例

法22③　…………　法人税法第22条第３項

注　　意　　点

本書は、令和６年７月施行法令によって作成されている。

本書を使用する際の注意点

1　テーマについて

法体系の確認がしやすいように、各理論問題については、テーマごとに分けて収録し、各テーマをページの上部に表示してあります。

また、各理論問題は、各テーマに属する枝番号（１－１等）で表示してあります。法令の体系的な学習（応用理論対策等）に役立ててください。

2　ランクについて

各理論問題について、その科目を学習する上での重要度（ランク）を、理論問題のタイトルの横に表示してあります。

理論学習をする際の指針としてください。

ランクＡ　……　学習をするにあたって非常に重要度の高い理論問題
ランクＢ　……　学習をするにあたって比較的重要度の高い理論問題
ランクＣ　……　学習をするにあたって比較的重要度の低い理論問題

3　重要度について

各理論問題の中の各項目について、その理論問題の中での重要度を、項目のタイトルの横に表示してあります。

理論学習をする際の指針としてください。

◎　……　その理論問題の中で非常に重要度の高い項目
○　……　その理論問題の中で比較的重要度の高い項目
△　……　その理論問題の中で比較的重要度の低い項目

4　カッコ書きについて

本文中のカッコ書きについては、本文との区別がしやすいように文字の大きさを小さくして収録してあります。

まずはカッコ書きを除いて文章を確認し、その後、カッコ書きを付け足す形で確認をすると学習しやすくなりますので、参考にしてください。

5　条文番号について

各理論問題の中の各項目について、参照して頂く条文番号を表示してありますが、条文番号については暗記（解答）する必要はありません。

CONTENTS

目　　次

テーマ1：総　則　等

テーマ2：企業利益と課税所得

テーマ3：同族会社等

テーマ4：損益の帰属時期の特例

テーマ5：受取配当等

テーマ６：資産評価及び償却費等

テーマ７：給　与　等

テーマ８：その他の営業経費

テーマ9：圧 縮 記 帳 等

テーマ10：引　当　金　等

テーマ11：借　地　権　等

テーマ12：欠　損　金　等

テーマ13：海　外　取　引

テーマ14：税　額　計　算　等

テーマ15：申 告 ・ 納付等

テーマ16：企業組織再編成等

テーマ17：グループ法人税制

テーマ18：グループ通算制度

《マークの見方》

プラスα　……　少し応用的ですが、本文の次に押さえてほしい内容です。

参考　……　内容理解を深めるために押さえておくとよい内容です。

留意点　……　解答範囲の限定など、各理論の使い方や関連規定などを紹介しています。

テーマ

1

総　則　等

1-1 納税義務者と課税所得等の範囲

１．納税義務者　　重要度◎

(1) 内国法人（法４①）

内国法人は、法人税を納める義務がある。

ただし、公益法人等又は人格のない社団等については、収益事業を行う場合、法人課税信託の引受けを行う場合又は退職年金業務等を行う場合に限る。

(2) 公共法人（法４②）

公共法人は、(1)にかかわらず、法人税を納める義務がない。

(3) 外国法人（法４③）

外国法人は、国内源泉所得を有するとき（人格のない社団等については、国内源泉所得で収益事業から生ずるものを有するときに限る。）、法人課税信託の引受けを行うとき又は退職年金業務等を行うときは、法人税を納める義務がある。

２．課税所得等の範囲　　重要度◎

(1) 内国法人（法５～７）

① 内国法人に対しては、各事業年度の所得について、各事業年度の所得に対する法人税を課する。

② 内国法人である公益法人等又は人格のない社団等の各事業年度の所得のうち収益事業から生じた所得以外の所得については、①にかかわらず、各事業年度の所得に対する法人税を課さない。

③ 退職年金業務等を行う内国法人に対しては、①の法人税のほか、各事業年度の退職年金等積立金について、退職年金等積立金に対する法人税を課する。

(2) 外国法人（法８、法９）

① 外国法人に対しては、外国法人の区分に応じそれぞれの国内源泉所得に係る所得について、各事業年度の所得に対する法人税を課する。

② 外国法人（人格のない社団等に限る。）の①の所得のうち収益事業から生じた所得以外の所得については、①にかかわらず、各事業年度の所得に対する法人税を課さない。

③ 退職年金業務等を行う外国法人に対しては、①に係る法人税のほか、各事業年度の退職年金等積立金について、退職年金等積立金に対する法人税を課する。

(3) **適用停止**（措法68の５）

退職年金業務等を行う法人の一定の期間内に開始する各事業年度の退職年金等積立金については、退職年金等積立金に対する法人税を課さない。

３．用語の意義

重要度◎

(1) **内国法人**（法２三）

国内に本店又は主たる事務所を有する法人をいう。

(2) **外国法人**（法２四）

内国法人以外の法人をいう。

(3) **人格のない社団等**（法２八、法３）

法人でない社団又は財団で代表者又は管理人の定めがあるものをいう。

なお、人格のない社団等は、法人とみなして法人税法の規定を適用する。

参考　法人課税信託の引受けを行う個人（法４④）

個人は、法人課税信託の引受けを行うときは、法人税を納める義務がある。

テーマ１　総則等　　ランク**A**

事業年度

１．事業年度の意義　　重要度◎

(1) 会計期間の定めがある場合（法13①）

法人の財産及び損益の計算の単位となる期間（以下「会計期間」という。）で、法令で定めるもの又は法人の定款、寄附行為、規則、規約その他これらに準ずるもの（以下「定款等」という。）に定めるものをいう。

(2) 会計期間の定めがない場合（法13①～④）

① 法令又は定款等に会計期間の定めがない場合には、設立の日等以後２月以内に納税地の所轄税務署長に届け出た会計期間をいう。

② ①の届出をすべき法人（人格のない社団等を除く。）がその届出をしない場合には、納税地の所轄税務署長が指定し、通知した会計期間をいう。

③ ①の届出をすべき人格のない社団等がその届出をしない場合には、その年の１月１日から12月31日までの期間をいう。

(3) １年を超える会計期間の場合（法13①）

(1)又は(2)の期間が１年を超える場合には、その期間をその開始の日以後１年ごとに区分した各期間（最後に１年未満の期間を生じたときは、その１年未満の期間）をいう。

２．事業年度の特例（法14①）　　重要度◎

次の場合には、その事実が生じた法人の事業年度は、上記１.にかかわらず、それぞれに定める日に終了し、これに続く事業年度は、(2)、(3) を除き、同日の翌日から開始するものとする。

(1) 内国法人が事業年度の中途において解散（合併による解散を除く。）をしたこと
　　その解散の日

(2) 法人が事業年度の中途において合併により解散したこと
　　その合併の日の前日

(3) 清算中の法人の残余財産が事業年度の中途において確定したこと
　　その残余財産の確定の日

(4) 清算中の内国法人が事業年度の中途において継続したこと
　　その継続の日の前日

3．事業年度の変更等の届出（法15）

重要度○

法人はその定款等に定める会計期間を変更し、又は新たに定めた場合には、遅滞なく、その変更前及び変更後の会計期間又はその定めた会計期間を納税地の所轄税務署長に届け出なければならない。

参考　外国法人における事業年度の特例（法14①）

次の場合には、その事実が生じた法人の事業年度は、それぞれに定める日に終了し、これに続く事業年度は、同日の翌日から開始するものとする。

(1) 恒久的施設を有しない外国法人が事業年度の中途において恒久的施設を有することとなったこと
　その有することとなった日の前日

(2) 恒久的施設を有する外国法人が事業年度の中途において恒久的施設を有しないこととなったこと
　その有しないこととなった日

(3) 恒久的施設を有しない外国法人が事業年度の中途において国内で新たに人的役務の提供事業を開始し、又はその事業を廃止したこと
　その事業の開始の日の前日又はその事業の廃止の日

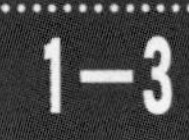

1−3 納税地

1．内国法人（法16）　重要度◎

本店又は主たる事務所の所在地とする。

2．外国法人（法17、令16）　重要度△

次の外国法人の区分に応じ、それぞれの場所とする。

(1) 恒久的施設を有する外国法人
　恒久的施設を通じて行う事業に係る事務所、事業所等の所在地（これらが２以上の場合は主たるものの所在地）

(2) 恒久的施設を有しない外国法人で、不動産の貸付け等の対価を受けるもの
　その対価に係る資産の所在地（資産が２以上の場合は主たるものの所在地）

(3) (1)、(2)以外の外国法人
　その外国法人が選択した場所その他一定の場所

3．指　定（法18）　重要度○

上記**1.**又は**2.**の納税地が法人税の納税地として不適当であると認められる場合には、納税地の所轄国税局長等は、その法人税の納税地を指定することができる。

この場合には、その法人に対し書面によりその旨を通知する。

4．指定の取消し（法19）　重要度○

納税地の指定処分の取消しがあった場合においても、その取消しは、その指定処分のあった時からその取消しの時までの間に、その取消しの対象となった納税地でされた申告等の効力に影響を及ぼさない。

5．異動の届出（法20）　重要度○

法人は、納税地に異動があった場合には、遅滞なく、その異動前の納税地の所轄税務署長にその旨を届け出なければならない。

参考　法人課税信託の受託者である個人（法17の２）

法人課税信託の受託者である個人のその法人課税信託に係る法人税の納税地は、所得税法に定める場所とする。

参考　設立等に係る届出（法148①、法150①③）

(1) 設立した場合

新たに設立された内国法人である普通法人又は協同組合等は、その設立の日以後２月以内に、納税地等を記載した届出書を納税地の所轄税務署長に提出しなければならない。

(2) 収益事業を開始した場合

内国法人である公益法人等又は人格のない社団等は、新たに収益事業を開始した場合には、その開始の日以後２月以内に、納税地等を記載した届出書を納税地の所轄税務署長に提出しなければならない。

(3) 普通法人等に該当することとなった場合

公共法人又は収益事業を行っていない公益法人等が普通法人又は協同組合等に該当することとなった場合には、その該当することとなった日以後２月以内に、納税地等を記載した届出書を納税地の所轄税務署長に提出しなければならない。

1-4 資本金等の額

１．資本金等の額（令８）　重要度◎

法人が株主等から出資を受けた金額として、(1)と(2)の金額の合計額をいう。

(1) 資本金の額又は出資金の額

(2) ①の金額の合計額から②の金額の合計額を減算した金額

① 資本金等の額に加算するもの

イ　株式の発行又は自己の株式の譲渡をした場合の払込金銭の額等から増加した資本金の額（注）を減算した金額

（注）設立による株式の発行は、設立時の資本金の額

ロ　新株予約権の行使によりその行使をした者に自己株式を交付した場合の払込金銭の額等及びその直前の新株予約権の帳簿価額の合計額からその行使に伴う株式の発行により増加した資本金の額を減算した金額

ハ　資本金の額を減少した場合のその減少した金額

ニ　その他一定の金額

② 資本金等の額から減算するもの

イ　準備金の額又は剰余金の額を減少して資本金の額を増加した場合のその増加額

ロ　資本の払戻し又は解散による残余財産の一部分配に係る減資資本金額（資本の払戻しの場合、減少した資本剰余金の額を超えるときは、その超える部分の金額を控除した金額）

ハ　自己株式の取得（市場購入によるもの等を除く。）により金銭等を交付した場合の取得資本金額

ニ　自己株式の取得（市場購入によるもの等に限る。）の対価の額

ホ　みなし配当事由によりその法人との間に完全支配関係がある他の内国法人から金銭等の交付を受けた場合等（当該他の内国法人の残余財産の分配を受けないことが確定した場合を含む。）のみなし配当の額及びそのみなし配当事由に係る有価証券の譲渡対価の額とされる金額の合計額からその金銭の額等の合計額を減算した金額に相当する金額

ヘ　その他一定の金額

２．その他の調整金額

重要度○

(1) 資本金等の額に加算するもの

① 合併により移転を受けた資産及び負債の純資産価額から増加資本金額等を減算した金額

② 分割型分割により移転を受けた資産及び負債の純資産価額から増加資本金額等を減算した金額

③ 分社型分割により移転を受けた資産及び負債の純資産価額から増加資本金額等を減算した金額

④ 適格現物出資により移転を受けた資産及び負債の純資産価額から増加した資本金の額を減算した金額

⑤ 非適格現物出資により現物出資法人に交付した被現物出資法人の株式のその時の価額から増加した資本金の額を減算した金額

⑥ 株式交換により移転を受けた株式交換完全子法人の株式の取得価額から増加資本金額等を減算した金額

⑦ 株式移転により移転を受けた株式移転完全子法人の株式の取得価額からその移転時の資本金の額等を減算した金額

(2) 資本金等の額から減算するもの

① 分割法人の分割型分割の直前の資本金等の額に移転純資産割合を乗じて計算した金額

② 現物分配法人の非適格株式分配の直前の資本金等の額に株式分配割合を乗じて計算した金額

③ 適格株式分配により交付した完全子法人株式の帳簿価額相当額

1−5 利益積立金額

１．利益積立金額（令９）　重要度◎

法人の所得の金額で留保している金額として、(1)の金額の合計額から(2)の金額の合計額を減算した金額をいう。

(1) 利益積立金額に加算するもの

① イ〜トまでの金額の合計額からチ〜ヌの金額の合計額を減算した金額（留保していない金額がある場合にはその金額を減算した金額とし、公益法人等又は人格のない社団等にあっては収益事業から生じたものに限る。）

イ　所得の金額（各種所得の特別控除額を含む。）
ロ　受取配当等の益金不算入額
ハ　外国子会社から受ける配当等の益金不算入額
ニ　受贈益の益金不算入額
ホ　還付金等の益金不算入額等
ヘ　繰越欠損金等の損金算入額
ト　その他一定の金額
チ　欠損金額
リ　法人税及び地方法人税並びに住民税として納付することとなる金額等
ヌ　完全支配関係がある法人間の取引により譲渡損益調整資産の取得価額に算入しない金額からその取得価額に算入する金額を減算した金額

② 法人が有するその法人との間に完全支配関係がある法人の株式等について寄附修正事由が生ずる場合のその受贈益の額に持分割合を乗じて計算した金額からその寄附金の額に持分割合を乗じて計算した金額を減算した金額

③ その他一定の金額

(2) 利益積立金額から減算するもの

① 剰余金の配当（資本剰余金の額の減少に伴うもの並びに分割型分割及び株式分配を除く。）等の額として株主等に交付する金銭の額等の合計額

② 資本の払戻し又は残余財産の一部分配による交付金銭の額等の合計額が減資資本金額を超える場合のその超える部分の金額

③ 自己株式の取得（市場購入によるもの等を除く。）による交付金銭の額等の合計額が取得資本金額を超える場合のその超える部分の金額

④ その他一定の金額

２．その他の調整金額

重要度○

(1) 利益積立金額に加算するもの

① 適格合併により被合併法人から移転を受けた資産の帳簿価額から負債の帳簿価額並びに増加した資本金等の額等を減算した金額

② 適格分割型分割により分割法人から移転を受けた資産の帳簿価額から負債の帳簿価額並びに増加した資本金等の額等を減算した金額

③ 適格現物分配により現物分配法人から交付を受けた資産の帳簿価額に相当する金額

(2) 利益積立金額から減算するもの

① 非適格分割型分割に係る分割法人が株主等に交付した金銭の額等から減少する資本金等の額を減算した金額

② 適格分割型分割により分割承継法人に移転をした資産の帳簿価額から負債の帳簿価額及び減少する資本金等の額を減算した金額

③ 非適格株式分配により交付した完全子法人株式等の価額から減少する資本金等の額を減算した金額

1−6 実質課税（所得の帰属）

1．実質所得者課税の原則（法11）　重要度◎

資産又は事業から生ずる収益の法律上帰属するとみられる者が単なる名義人であって、その収益を享受せず、その者以外の法人がその収益を享受する場合には、その収益は、これを享受する法人に帰属するものとして、法人税法の規定を適用する。

2．信託財産に属する資産及び負債等の帰属　重要度◎

(1) 内　容（法12①②）

① 信託の受益者（受益者としての権利を現に有するものに限る。）は、その信託の信託財産に属する資産及び負債を有するものとみなし、かつ、その信託財産に帰せられる収益及び費用はその受益者の収益及び費用とみなして、法人税法の規定を適用する。

ただし、集団投資信託、退職年金等信託、特定公益信託等又は法人課税信託の信託財産に属する資産及び負債並びにその信託財産に帰せられる収益及び費用については、この限りでない。

② 信託の変更をする権限を有し、かつ、その信託財産の給付を受けることとされている者（受益者を除く。）は、受益者とみなして、①の規定を適用する。

(2) 集団投資信託その他の信託（法12③）

法人が受託者となる集団投資信託、退職年金等信託又は特定公益信託等の信託財産に属する資産及び負債並びにその信託財産に帰せられる収益及び費用は、その法人の各事業年度の所得の金額の計算上、その法人の資産及び負債並びに収益及び費用でないものとみなして、法人税法の規定を適用する。

(3) 法人課税信託（法４の２）

法人課税信託の受託者は、各法人課税信託の信託資産等及び固有資産等ごとに、それぞれ別の者とみなして、法人税法の規定を適用する。この場合、各法人課税信託の信託資産等及び固有資産等は、そのみなされた各別の者にそれぞれ帰属するものとする。

（注１）信託資産等とは、信託財産に属する資産及び負債並びにその信託財産に帰せられる収益及び費用をいう。

（注２）固有資産等とは、法人課税信託の信託資産等以外の資産及び負債並びに収益及び費用をいう。

プラスα　用語の意義（法２二十九、法２二十九の二）

(1) 集団投資信託

合同運用信託、証券投資信託、特定受益証券発行信託その他一定の信託をいう。

(2) 法人課税信託

次の信託（集団投資信託、退職年金等信託及び特定公益信託等を除く。）をいう。

① 受益証券発行信託（特定受益証券発行信託を除く。）

② 受益者が存しない信託

③ 法人が委託者となる信託で一定のもの

④ 特定目的信託

法人課税信託

1．受託者に関する法人税法の適用（法4の2）　重要度◎

法人課税信託の受託者は、各法人課税信託の信託資産等及び固有資産等ごとに、それぞれ別の者とみなして、法人税法の規定を適用する。この場合、各法人課税信託の信託資産等及び固有資産等は、そのみなされた各別の者にそれぞれ帰属するものとする。

（注1）信託資産等とは、信託財産に属する資産及び負債並びにその信託財産に帰せられる収益及び費用をいう。

（注2）固有資産等とは、法人課税信託の信託資産等以外の資産及び負債並びに収益及び費用をいう。

2．受託法人等に関する法人税法の適用（法4の3）　重要度◎

受託法人又は法人課税信託の受益者について法人税法の規定を適用する場合には、次に定めるところによる。

(1) 法人課税信託に係る受託法人は、その信託された営業所が国内にある場合には内国法人とし、国内にない場合には外国法人とする。

(2) 受託法人（会社でないものに限る。）は、会社とみなす。

(3) 法人課税信託の受益権は株式等とみなし、受益者は株主等に含まれるものとする。

　この場合、その法人課税信託の受託者である法人の株式等は、受託法人の株式等でないものとみなし、その受託者である法人の株主等は、受託法人の株主等でないものとする。

(4) 受託法人は、その受託法人に係る法人課税信託の効力が生ずる日等に設立されたものとする。

(5) 法人課税信託について信託の終了があった場合等には、その受託法人の解散があったものとする。

(6) 法人課税信託（受益者が存しない信託を除く。）の委託者がその有する資産の信託をした場合等には、その受託法人に対する出資があったものとみなす。

(7) 法人課税信託の収益の分配は資本剰余金の減少に伴わない剰余金の配当と、元本の払戻しは資本剰余金の減少に伴う剰余金の配当とみなす。

(8) その他一定の法人税法の適用

３．所得の金額の計算

重要度○

(1) 特定受益証券発行信託（法64の３①）

特定受益証券発行信託が法人課税信託に該当することとなった場合には、その該当することとなった時の直前の未分配利益の額に相当する金額は、その法人課税信託に係る受託法人のその該当することとなった日の属する事業年度の益金の額に算入する。

(2) 法人課税信託に該当しないこととなった場合（法64の３②③）

受益者が存することとなったことにより受益者が存しない法人課税信託に該当しないこととなった場合には、その法人課税信託に係る受託法人は、その受益者に対しその信託財産に属する資産及び負債のその該当しないこととなった時の直前の帳簿価額による引継ぎをしたものとして、各事業年度の所得の金額を計算する。

この場合において、その受益者が内国法人であるときは、その内国法人は、その資産及び負債の帳簿価額による引継ぎを受けたものとして、各事業年度の所得の金額を計算する。

(3) 受託者が変更された場合（法64の３④）

法人課税信託に係る受託法人がその法人課税信託の受託者の変更によりその法人課税信託に係る資産及び負債の移転をしたときは、その変更後の受託者にその移転をした資産及び負債のその変更の直前の帳簿価額による引継ぎをしたものとして、その受託法人の各事業年度の所得の金額を計算する。

参考　その他一定の法人税法の適用（法４の３）

(1) 信託の併合は合併とみなし、従前の法人課税信託に係る受託法人は被合併法人に、新たな法人課税信託に係る受託法人は合併法人に含まれるものとする。
(2) 信託の分割は分割型分割に含まれるものとし、分割により信託財産の一部を移転する法人課税信託に係る受託法人は分割法人に、その一部の移転を受ける法人課税信託に係る受託法人は分割承継法人に含まれるものとする。

1−8 組合等損失超過額

1．組合等損失超過額の損金不算入（措法67の12①）　重要度◎

法人が特定組合員に該当する場合で、かつ、その組合事業につきその債務を弁済する責任の限度が実質的に組合財産の価額とされている場合等には、その法人のその事業年度の組合等損失超過額は、その事業年度の損金の額に算入しない。

（注）特定組合員とは、組合契約に係る組合員のうち、重要な財産の処分等の決定に関与し、かつ、重要な業務を自ら執行する組合員以外のものをいう。

2．組合等損失超過額の損金算入（措法67の12②）　重要度○

確定申告書等を提出する法人が、各事業年度において組合等損失超過合計額を有する場合には、その組合等損失超過合計額のうちその事業年度のその法人の組合事業（その組合等損失超過合計額に係るものに限る。）による利益の額として一定の金額に達するまでの金額は、その事業年度の損金の額に算入する。

参考　特定受益者の場合（措法67の12）

(1) 損金不算入

法人が特定受益者（信託（集団投資信託及び法人課税信託を除く。）の受益者をいう。）に該当する場合で、かつ、その信託につきその債務を弁済する責任の限度が実質的に信託財産の価額とされている場合等には、その法人のその事業年度の組合等損失超過額は、その事業年度の損金の額に算入しない。

(2) 損金算入

確定申告書等を提出する法人が、各事業年度において組合等損失超過合計額を有する場合には、その組合等損失超過合計額のうちその事業年度のその法人の信託（その組合等損失超過合計額に係るものに限る。）による利益の額として一定の金額に達するまでの金額は、その事業年度の損金の額に算入する。

（MEMO）

1−9　一般社団法人・一般財団法人関連規定

１．公益法人等と普通法人　重要度◎

(1) 公益法人等

① 公益社団法人及び公益財団法人

② 一般社団法人及び一般財団法人（非営利型法人に該当するものに限る。）

(2) 普通法人

(1)以外の一般社団法人及び一般財団法人

２．事業年度の特例（法14①）　重要度◎

次の場合には、その事実が生じた法人の事業年度は、事業年度の意義の規定にかかわらず、その事実が生じた日の前日に終了し、これに続く事業年度は、同日の翌日から開始するものとする。

(1) 公共法人又は公益法人等が事業年度の中途において普通法人又は協同組合等に該当することとなったこと

(2) 普通法人又は協同組合等が事業年度の中途において公益法人等に該当することとなったこと

３　普通法人等から公益法人等への変更（法10）　重要度◎

(1) 普通法人又は協同組合等が公益法人等に該当することとなる場合には、その該当することとなる日の前日にその普通法人又は協同組合等が解散したものとみなして、欠損金の繰戻しによる還付等の規定を適用する。

(2) 普通法人又は協同組合等が公益法人等に該当することとなった場合には、その該当することとなった日にその公益法人等が設立されたものとみなして、一定の規定を適用する。

４．公共法人等から普通法人等への変更（法64の４）　重要度◎

(1) 内　容

公共法人又は公益法人等が普通法人又は協同組合等に該当することとなった場合には、その該当することとなった日（以下「移行日」という。）前の収益事業（公益法人等が行うものに限る。）以外の事業から生じた累積所得金額又は累積欠損金額に相当する金額は、その移行日の属する事業年度の益金の額又は損金の額に算入する。

(2) 公益認定が取り消された場合

① 内　容

(1)の内国法人が公益認定を取り消されたことにより普通法人に該当することとなった法人である場合における(1)の適用については、移行日以後に公益の目的のために支出される金額相当額は、累積所得金額から控除し、又は累積欠損金額に加算する。

② 申告要件

①の規定は、確定申告書に支出金額及びその計算に関する明細の記載があり、かつ、一定の書類の添付がある場合に限り適用する。ただし、税務署長による宥恕がある。

５．用語の意義（法２九の二等）

重要度◎

(1) 公益社団法人

公益認定を受けた一般社団法人をいう。

(2) 公益財団法人

公益認定を受けた一般財団法人をいう。

(3) 非営利型法人

一般社団法人又は一般財団法人（公益社団法人又は公益財団法人を除く。）のうちその事業を運営するための組織が適正であるものとして次のものをいう。

① その行う事業により利益を得ること又は利益を分配することを目的としない法人で、定款に剰余金の分配を行わない旨の定めがあるなど一定の要件を満たすもの

② 会員から受け入れる会費により、会員に共通する利益を図るための事業を行う法人で、主たる事業として収益事業を行っていないなど一定の要件を満たすもの

(MEMO)

テーマ

2

企業利益と課税所得

2−1 各事業年度の所得の金額の計算の通則

1．各事業年度の所得に対する法人税の課税標準（法21）　重要度◎

内国法人に対して課する各事業年度の所得に対する法人税の課税標準は、各事業年度の所得の金額とする。

2．各事業年度の所得の金額（法22①）　重要度◎

内国法人の各事業年度の所得の金額は、その事業年度の益金の額からその事業年度の損金の額を控除した金額とする。

3．益金の額（法22②）　重要度◎

内国法人の各事業年度の所得の金額の計算上その事業年度の益金の額に算入すべき金額は、別段の定めがあるものを除き、資産の販売、有償又は無償による資産の譲渡又は役務の提供、無償による資産の譲受けその他の取引で資本等取引以外のものに係るその事業年度の収益の額とする。

4．損金の額（法22③）　重要度◎

内国法人の各事業年度の所得の金額の計算上その事業年度の損金の額に算入すべき金額は、別段の定めがあるものを除き、次の額とする。

(1) その事業年度の収益に係る売上原価、完成工事原価その他これらに準ずる原価の額

(2) (1)のほか、その事業年度の販売費、一般管理費その他の費用（償却費以外の費用でその事業年度終了の日までに債務の確定しないものを除く。）の額

(3) その事業年度の損失の額で資本等取引以外の取引に係るもの

5．公正妥当な会計処理の基準（法22④）　重要度○

所得の金額の計算にあたって収益の額及び原価・費用・損失の額は、別段の定めがあるものを除き、一般に公正妥当と認められる会計処理の基準に従って計算されるものとする。

6．資本等取引の意義（法22⑤、法２十六）　重要度○

法人の資本金等の額の増加又は減少を生ずる取引並びに法人が行う利益又は剰余金の分配及び残余財産の分配又は引渡しをいう。

（注）資本金等の額とは、法人が株主等から出資を受けた金額として一定の金額をいう。

テーマ２　企業利益と課税所得　ランク**A**

2－2 収益の額

１．収益の計上時期（法22の２①②③）　重要度◎

(1) 内国法人の資産の販売若しくは譲渡又は役務の提供（以下「資産の販売等」という。）に係る収益の額は、別段の定めがあるものを除き、その資産の販売等に係る目的物の引渡し又は役務の提供の日の属する事業年度の益金の額に算入する。

(2) 内国法人が、資産の販売等に係る収益の額につき一般に公正妥当と認められる会計処理の基準に従ってその資産の販売等に係る契約の効力が生ずる日その他の(1)に規定する日に近接する日の属する事業年度の確定した決算において収益として経理した場合には、(1)にかかわらず、その資産の販売等に係る収益の額は、別段の定めがあるものを除き、その事業年度の益金の額に算入する。

(3) 内国法人が資産の販売等を行った場合（(1)に規定する日又は(2)に規定する近接する日の属する事業年度の確定した決算において収益として経理した場合を除く。）において、その資産の販売等に係る(2)に規定する近接する日の属する事業年度の確定申告書にその資産の販売等に係る収益の額の益金算入に関する申告の記載があるときは、その額につきその事業年度の確定した決算において収益として経理したものとみなして、(2)の規定を適用する。

２．収益の計上額（法22の２④⑤）　重要度◎

(1) 内国法人の各事業年度の資産の販売等に係る収益の額として上記１.(1)又は(2)の規定によりその事業年度の益金の額に算入する金額は、別段の定めがあるものを除き、その販売若しくは譲渡をした資産の引渡しの時における価額又はその提供をした役務につき通常得べき対価の額に相当する金額とする。

(2) (1)の引渡しの時における価額又は通常得べき対価の額は、(1)の資産の販売等につき次の事実が生ずる可能性がある場合においても、その可能性がないものとした場合における価額とする。

① 対価の額に係る金銭債権の貸倒れ

② 資産の買戻し

３．現物配当（法22の２⑥）　重要度○

無償による資産の譲渡に係る収益の額は、金銭以外の資産による利益又は剰余金の分配及び残余財産の分配又は引渡しその他これらに類する行為としての資産の譲渡に係る収益の額を含むものとする。

参考　債務の確定の判定（基通２－２－12）

償却費以外の費用でその事業年度終了の日までに債務が確定しているものとは、別に定めるものを除き、次の要件の全てに該当するものとする。

(1) その事業年度終了の日までにその費用に係る債務が成立していること。

(2) その事業年度終了の日までにその債務に基づいて具体的な給付をすべき原因となる事実が発生していること。

(3) その事業年度終了の日までにその金額を合理的に算定することができるものであること。

テーマ

3

同族会社等

3−1 同族会社の意義

１．同族会社の意義（法２十）

重要度◎

会社の株主等（その会社が自己株式等を有する場合のその会社を除く。）の３人以下並びにこれらと特殊の関係のある個人及び法人が次の場合におけるその会社をいう。

(1) その会社の発行済株式等（自己株式等を除く。）の50%超を有する場合

(2) その会社の議決権の50%超を有する場合

(3) 合名会社等の社員の過半数を占める場合

参考　株主等の意義（法２十四）

株主又は合名会社、合資会社若しくは合同会社の社員その他法人の出資者をいう。

テーマ３　同族会社等　　ランクA

3−2 役員及び使用人兼務役員の範囲

1．役員等の範囲

重要度◎

(1) **役員の範囲**（法２十五、令７、令71）

同族会社の使用人のうち、次の要件のすべてを満たしている者で、法人の経営に従事しているものは役員とされる。

① 所有割合が最も大きい株主グループから順次その順位を付し、その所有割合を順次加算した場合において、はじめて50%を超えるときにおけるこれらの株主グループ（同順位の場合にはその全ての株主グループ。）の上位３順位のいずれかにその者が属していること。

② その者の属する株主グループの所有割合が10%を超えていること。

③ その者（その配偶者及びこれらの者の所有割合が50%を超える他の会社を含む。）の所有割合が５%を超えていること。

(2) **使用人兼務役員の制限**（法34⑥、令71）

同族会社の役員のうち、(1)の①〜③の要件の全てを満たしている者は使用人兼務役員とされない。

参考　役員及び使用人兼務役員の範囲

（注）　テーマ７（給与等）7−1　参照。

参考　その他同族会社に関する規定

同族会社等の行為計算の否認（法132）

テーマ15（申告・納付等）15−６　参照。

3−3 特定同族会社の特別税率

1．内　容（法67①⑧）　重要度◎

内国法人である特定同族会社の各事業年度の留保金額が留保控除額を超える場合には、その特定同族会社に対して課する各事業年度の所得に対する法人税の額は、通常の法人税の額に、その超える部分の留保金額を次の金額に区分してそれぞれの割合を乗じて計算した金額の合計額を加算した金額とする。

(1) 年3,000万円以下の金額 ……………………… 10%
(2) 年3,000万円を超え、年１億円以下の金額 … 15%
(3) 年１億円を超える金額 ……………………… 20%

(注) 特定同族会社に該当するかどうかの判定は、その事業年度終了の時の現況による。

2．留保金額（法67③④、措法65の２⑨）　重要度○

(1) 留保金額とは、所得等の金額のうち留保した金額から、その事業年度の法人税の額及び地方法人税の額並びに住民税の額の合計額を控除した金額をいう。

(2) 所得等の金額とは、次の金額の合計額をいう。

① その事業年度の所得の金額
② 受取配当等の益金不算入額
③ 外国子会社から受ける配当等の益金不算入額
④ 受贈益の益金不算入額
⑤ 還付金等の益金不算入額等
⑥ 繰越欠損金等の損金算入額
⑦ 各種所得の特別控除額

(3) (1)に規定する留保した金額の計算については、その特定同族会社による剰余金の配当等（その決議の日が基準日等の属する事業年度終了の日の翌日からその基準日等の属する事業年度に係る決算の確定の日までの期間内にあるものに限る。以下、「期末配当等」という。）により減少する利益積立金額相当額はその基準日等の属する事業年度の留保した金額から控除し、その期末配当等がその効力を生ずる日の属する事業年度の留保した金額に加算するものとする。

３．留保控除額（法67⑤）

重要度○

次の金額のうち最も多い金額をいう。

(1) その事業年度の所得等の金額×40%

(2) 年2,000万円

(3) 期末資本金の額×25%－期末利益積立金額｛その事業年度の所得等の金額に係る部分の金額を除く。｝

４．用語の意義（法67①②）

重要度◎

(1) 特定同族会社

被支配会社で、被支配会社であることについての判定の基礎となった株主等のうちに被支配会社でない法人がある場合には、その法人をその判定の基礎となる株主等から除外して判定するものとした場合においても被支配会社となるもの（資本金の額が１億円以下であるものにあっては、期末に大法人による完全支配関係がある普通法人その他一定の普通法人に限る。）をいい、清算中のものを除く。

（注）大法人とは、資本金の額が５億円以上である法人等をいう。

(2) 被支配会社

会社の株主等（その会社が自己株式等を有する場合のその会社を除く。）の１人並びにこれと特殊の関係のある個人及び法人が次の場合におけるその会社をいう。

① その会社の発行済株式等（自己株式等を除く。）の50%超を有する場合

② その会社の議決権の50%超を有する場合

③ 合名会社等の社員の過半数を占める場合

プラスα　その他一定の普通法人（法66⑤）

普通法人との間に完全支配関係がある全ての大法人が有する株式等の全部をそのうちいずれか一の大法人が有するものとみなした場合にその大法人による完全支配関係があるときのその普通法人

(MEMO)

テーマ

4

損益の帰属時期の特例

4−1 延払基準

1．リース譲渡を行った場合（法63①等）　重要度◎

(1) 内国法人が、リース譲渡を行った場合において、そのリース譲渡に係る収益の額及び費用の額につき、そのリース譲渡の日の属する事業年度以後の各事業年度の確定した決算において延払基準の方法により経理したとき（3.の適用を受ける場合を除く。）は、その経理した収益の額及び費用の額は、その各事業年度の益金の額及び損金の額に算入する。

(2) その後のいずれかの事業年度の確定した決算において、延払基準の方法により経理しなかった場合にはこの限りでない。この場合には、そのリース譲渡に係る収益の額及び費用の額（その事業年度前の各事業年度の所得の金額に算入されるものを除く。）は、その経理しなかった決算に係る事業年度の益金の額及び損金の額に算入する。

2．延払基準の方法（令124）　重要度○

次の金額をその事業年度の収益の額及び費用の額とする方法をいう。

(1) ①　収益の額 … 対価の額×賦払金割合
　　②　費用の額 … （原価の額＋手数料の額）×賦払金割合

(2) ①　収益の額 … その事業年度に帰せられる元本相当額＋利息相当額
　　②　費用の額 … その事業年度に帰せられる原価の額

3．特　例（法63②等）　重要度○

(1) 内国法人がリース譲渡を行った場合には、その対価の額を一定の利息に相当する部分とそれ以外の部分とに区分した場合におけるそのリース譲渡の日の属する事業年度以後の各事業年度の収益の額及び費用の額として次の金額は、その各事業年度の益金の額及び損金の額に算入する。

　①　収益の額 … その事業年度に帰せられる元本相当額＋利息相当額
　②　費用の額 … その事業年度に帰せられる原価の額

（注）利息相当額 … （対価の額－原価の額）×20%

(2) 申告要件

この規定は、確定申告書に益金算入及び損金算入に関する明細の記載がある場合に限り適用する。ただし、税務署長による宥恕がある。

(3) 解除等をした場合

(1)の事業年度後のいずれかの事業年度において契約の解除等をした場合には、そのリース譲渡に係る収益の額及び費用の額（その事業年度前の各事業年度の所得の金額に算入されるものを除く。）は、その解除等をした事業年度の益金の額及び損金の額に算入する。

4．譲渡損益調整資産の場合（法63⑤）

重要度△

1．又は3．の適用については、リース譲渡には譲渡損益調整資産の譲渡（繰延の適用を受けたものに限る。）を含まないものとする。

参考　用語の意義等（令124）

〈賦払金割合〉

$$\frac{\text{分母のうちその事業年度に支払期日が到来する賦払金の合計額（注）}}{\text{対価の額}}$$

（注）既にその事業年度開始の日前に支払を受けている金額を除き、翌事業年度以後に支払期日が到来する賦払金につきその事業年度中に支払を受けた金額を含む。

〈その事業年度に帰せられる元本相当額〉

$$（\text{対価の額} - \text{利息相当額}）\times \frac{\text{その事業年度のリース期間の月数}}{\text{リース期間の月数}}$$

〈その事業年度に帰せられる原価の額〉

$$\text{原価の額} \times \frac{\text{その事業年度のリース期間の月数}}{\text{リース期間の月数}}$$

（MEMO）

4−2 工事進行基準

１．工事の請負を行った場合　重要度◎

(1) 長期大規模工事（法64①）

内国法人が、長期大規模工事の請負をしたときは、その着手事業年度からその目的物の引渡事業年度の前事業年度までの各事業年度の所得の金額の計算上、その収益の額及び費用の額のうち、工事進行基準の方法により計算した金額を、益金の額及び損金の額に算入する。

(2) その他の工事（法64②）

①　内　容

内国法人が、長期大規模工事以外の工事の請負をした場合において、その収益の額及び費用の額につき、着工事業年度からその目的物の引渡事業年度の前事業年度までの各事業年度の確定した決算において工事進行基準の方法により経理したときは、その経理した収益の額及び費用の額は、その各事業年度の益金の額及び損金の額に算入する。

②　経理しなかった場合

その後のいずれかの事業年度の確定した決算において、工事進行基準の方法により経理しなかった場合には、その経理しなかった決算に係る事業年度の翌事業年度以後の事業年度については、この限りでない。

２．長期大規模工事の意義（法64①、令129）　重要度◎

工事（製造及びソフトウエアの開発を含む。）のうち、その着手の日から契約に定められている目的物の引渡しの期日までの期間が１年以上であることその他次の要件に該当するものをいう。

(1) 工事の請負の対価の額が10億円以上であること。

(2) 工事の請負の対価の額の２分の１以上が目的物の引渡しの期日から１年を経過する日後に支払われることが定められていないこと。

３．工事進行基準の方法（令129）　重要度○

次の金額をその事業年度の収益の額及び費用の額とする方法をいう。

(1)　収益の額

請負収益の額×その事業年度終了時の工事進行割合－前事業年度までの収益計上額

(2)　費用の額

見積工事原価の額×その事業年度終了時の工事進行割合－前事業年度までの費用計上額

（注）工事進行割合とは、その事業年度終了の時の見積工事原価の額のうちに実際工事原価の額の占める割合その他の合理的な割合をいう。

４．工事進行基準が強制されない場合（令129）　重要度○

長期大規模工事で次の(1)又は(2)に該当するものの長期大規模工事の請負に係る収益の額及び費用の額は、ないものとすることができる。ただし、確定した決算において、工事進行基準の方法により経理した事業年度以後の事業年度については、この限りでない。

(1)　事業年度終了時において、その着手の日から６月を経過していないもの

(2)　事業年度終了時において、その進行割合が20％未満のもの

(MEMO)

テーマ

5

受取配当等

5-1 受取配当等の益金不算入

１．益金不算入（法23①）　重要度◎

内国法人が配当等の額を受けるときは、その配当等の額（次の配当等の額は、それぞれの金額）は、各事業年度の益金の額に算入しない。

(1) 関連法人株式等に係る配当等の額 … その配当等の額からその配当等の額に係る利子相当額を控除した金額

(2) 完全子法人株式等、関連法人株式等及び非支配目的株式等のいずれにも該当しない株式等に係る配当等の額 … その配当等の額の50%相当額

(3) 非支配目的株式等に係る配当等の額 … その配当等の額の20%相当額

２．配当等の額（法23①等）　重要度○

配当等の額とは、次の金額をいう。ただし、(1)の金額にあっては、外国法人若しくは公益法人等又は人格のない社団等から受けるもの及び適格現物分配に係るものを除く。

(1) 剰余金の配当（資本剰余金の額の減少に伴うもの並びに分割型分割及び株式分配を除く。）等又は一定の特定株式投資信託の収益の分配の額

(2) 投資信託及び投資法人に関する法律の金銭の分配の額

(3) 資産流動化法に規定する金銭の分配の額

３．短期保有株式等（法23②）　重要度○

上記１．の規定は、内国法人がその受ける配当等の額（みなし配当の額を除く。）の元本である株式等をその配当等の額に係る基準日等以前１月以内に取得し、かつ、その株式等（同一銘柄を含む。）をその基準日等後２月以内に譲渡した場合におけるその譲渡した株式等のうち一定の算式で計算したものの配当等の額については、適用しない。

４．関連法人株式等に係る利子の額（令19）　重要度◎

(1) 関連法人株式等に係る配当等の額から控除する利子の額は、その配当等の額の４%相当額とする。

(2) ①の金額が②の金額以下の場合には、(1)の金額は③の金額とする。

① 支払利子等の額の合計額×10%

② 関連法人株式等に係る配当等の額の合計額×４%

③ 支払利子等の額の合計額×10%×$\frac{\text{その配当等の額}}{\text{関連法人株式等に係る配当等の額の合計額}}$

5．用語の意義（法23④～⑥等）

重要度◎

(1) 完全子法人株式等

配当等の額の計算期間を通じて完全支配関係がある他の内国法人の株式等をいう。

(2) 関連法人株式等

内国法人（完全支配関係がある他の法人を含む。）が他の内国法人の発行済株式等（自己株式等を除く。）の３分の１超を、その配当等の前に最後にされた配当等の基準日等の翌日（その配当等の基準日等から起算して６月前の日以前の日である場合には、その６月前の日の翌日）からその配当等の額に係る基準日等まで引き続き有している場合における当該他の内国法人の株式等（完全子法人株式等を除く。）をいう。

(3) 非支配目的株式等

内国法人（完全支配関係がある他の法人を含む。）が他の内国法人の発行済株式等（自己株式等を除く。）の５％以下を、配当等の額に係る基準日等に有する場合における当該他の内国法人の株式等（完全子法人株式等を除く。）をいう。

(4) 計算期間

次の①から②までの期間等をいう。

①　その配当等の前に最後にされた配当等の基準日等の翌日

②　その配当等の額に係る基準日等

6．申告要件（法23⑦）

重要度△

上記１．の規定は、確定申告書、修正申告書又は更正請求書に益金不算入額及びその明細を記載した書類の添付がある場合に限り、記載金額を限度に適用する。

プラスα　自己株式の取得が予定される株式等に係る配当等（法23③）

受取配当等の益金不算入の規定は、内国法人がその受ける自己株式等の取得（市場購入によるもの等を除く。）によるみなし配当事由が生ずることが予定されている株式等の取得をした場合におけるその取得をした株式等に係る配当等の額でその予定されていた事由に基因するものについては、適用しない。

参考　特定目的会社等の特例（措法67の14等）

法人が投資法人から受ける配当等の額、特定目的会社から受ける利益の配当の額等については、受取配当等の益金不算入の規定は適用しない。

テーマ 5

5−2 みなし配当

1．みなし配当（法24①）　重要度◎

法人の株主等である内国法人がその法人の次の事由により金銭等の交付を受けた場合において、その金銭の額等の合計額がその法人の資本金等の額のうちその交付の基因となった株式等に対応する部分の金額を超えるときは、その超える部分の金額は、配当等の額とみなす。

(1) 合　併（適格合併を除く。）

(2) 分割型分割（適格分割型分割を除く。）

(3) 株式分配（適格株式分配を除く。）

(4) 資本の払戻し（資本剰余金の額の減少に伴う一定の剰余金の配当をいう。）又は解散による残余財産の分配

(5) 自己株式等の取得（市場購入によるもの等を除く。）

(6) その他一定の事由

2．抱合株式（法24②）　重要度△

合併法人が抱合株式（その合併法人が合併直前に有していた被合併法人の株式等をいう。）に対しその合併による株式その他の資産の交付をしなかった場合においても、その合併法人がその株式その他の資産の交付を受けたものとみなして、上記1．の規定を適用する。

参考　その他一定の事由（法24①）

(1) 出資の消却（取得した出資について行うものを除く。）、出資の払戻し、社員等の退社又は脱退による持分の払戻し等
(2) 組織変更（株式等以外の資産を交付したものに限る。）

留意点　解答範囲の限定

解答範囲を限定する場合には、次のように解答する。

① 資本の払戻しの場合

法人の株主等である内国法人がその法人の資本の払戻し（資本剰余金の額の減少に伴う一定の剰余金の配当をいう。）により金銭等の交付を受けた場合において、その金銭の額等の合計額がその法人の資本金等の額のうちその交付の基因となった株式等に対応する部分の金額を超えるときは、その超える部分の金額は、配当等の額とみなす。

② 自己株式等の取得の場合

法人の株主等である内国法人がその法人の自己株式等の取得（市場購入によるもの等を除く。）により金銭等の交付を受けた場合において、その金銭の額等の合計額がその法人の資本金等の額のうちその交付の基因となった株式等に対応する部分の金額を超えるときは、その超える部分の金額は、配当等の額とみなす。

5−3 資本の払戻し

1．みなし配当　重要度◎

(1) **みなし配当**（法24）

法人の株主等である内国法人がその法人の資本の払戻し（資本剰余金の額の減少に伴う一定の剰余金の配当をいう。）により金銭等の交付を受けた場合において、その金銭の額等の合計額がその法人の資本金等の額のうちその交付の基因となった株式等に対応する部分の金額を超えるときは、その超える部分の金額は、配当等の額とみなす。

(2) **受取配当等の益金不算入**（法23）

① 益金不算入

② 申告要件等

2．有価証券の譲渡損益（法61の2）　重要度◎

(1) **原　則**

内国法人が有価証券の譲渡をした場合には、その譲渡に係る譲渡利益額又は譲渡損失額（①と②の差額をいう。）は、その譲渡契約日等の属する事業年度の益金の額又は損金の額に算入する。

① その有価証券の譲渡の時における有償による譲渡により通常得べき対価の額（みなし配当の額を除く。）

② その有価証券の譲渡原価の額（1単位当たりの帳簿価額×譲渡をした有価証券の数）

(2) **特　例**

資本の払戻しの場合の譲渡原価の額は、その所有株式の払戻し直前の帳簿価額を基礎として計算した金額とする。

3．その他の関連項目（法68）　重要度○

所得税額控除など

テーマ５　受取配当等　　ランクB

5−4 解散による残余財産の分配

1．みなし配当　重要度◎

(1) みなし配当（法24）

法人の株主等である内国法人がその法人の解散による残余財産の分配により金銭等の交付を受けた場合において、その金銭の額等の合計額がその法人の資本金等の額のうちその交付の基因となった株式等に対応する部分の金額を超えるときは、その超える部分の金額は、配当等の額とみなす。

(2) 受取配当等の益金不算入（法23）

①　益金不算入

②　申告要件等

2．有価証券の譲渡損益（法61の２）　重要度◎

(1) 原　則

内国法人が有価証券の譲渡をした場合には、その譲渡に係る譲渡利益額又は譲渡損失額（①と②の差額をいう。）は、その譲渡契約日等の属する事業年度の益金の額又は損金の額に算入する。

①　その有価証券の譲渡の時における有償による譲渡により通常得べき対価の額（みなし配当の額を除く。）

②　その有価証券の譲渡原価の額（１単位当たりの帳簿価額×譲渡をした有価証券の数）

(2) 特　例

解散による残余財産の一部分配の場合の譲渡原価の額は、その所有株式の払戻し直前の帳簿価額を基礎として計算した金額とする。

3．その他の関連項目（法68）　重要度○

所得税額控除など

5−5 自己株式等の取得（市場等以外）

１．みなし配当　重要度◎

(1) みなし配当（法24）

法人の株主等である内国法人がその法人の自己株式等の取得（市場購入によるもの等を除く。）により金銭等の交付を受けた場合において、その金銭の額等の合計額がその法人の資本金等の額のうちその交付の基因となった株式等に対応する部分の金額を超えるときは、その超える部分の金額は、配当等の額とみなす。

(2) 受取配当等の益金不算入（法23）

① 益金不算入

② 申告要件等

２．有価証券の譲渡損益（法61の２）　重要度◎

内国法人が有価証券の譲渡をした場合には、その譲渡に係る譲渡利益額又は譲渡損失額（①と②の差額をいう。）は、その譲渡契約日等の属する事業年度の益金の額又は損金の額に算入する。

① その有価証券の譲渡の時における有償による譲渡により通常得べき対価の額（みなし配当の額を除く。）

② その有価証券の譲渡原価の額（１単位当たりの帳簿価額×譲渡をした有価証券の数）

３．その他の関連項目（法68）　重要度○

所得税額控除など

テーマ５　受取配当等　ランク A

5−6 外国子会社から受ける配当等

1. 配当等の益金不算入　重要度◎

(1) 内　容（法23の２①、令22の４）

内国法人が外国子会社から受ける剰余金の配当等の額がある場合には、その剰余金の配当等の額からその剰余金の配当等の額の５％相当額を控除した金額は、各事業年度の益金の額に算入しない。

(2) 外国子会社の意義（法23の２①、令22の４）

内国法人が外国法人の発行済株式等（自己株式等を除く。）の25％以上を、その剰余金の配当等の額の支払義務が確定する日以前６月以上引き続き有している等の要件を備えている外国法人をいう。

(3) 申告要件（法23の２⑤）

(1)の規定は、確定申告書、修正申告書又は更正請求書に益金不算入額及びその明細を記載した書類の添付があり、かつ、一定の書類を保存している場合に限り、記載金額を限度に適用する。ただし、保存については税務署長による宥恕がある。

2. 外国源泉税等の損金不算入（法39の２）　重要度◎

内国法人が上記１.の適用を受ける場合には、その剰余金の配当等の額に係る外国源泉税等の額は、各事業年度の損金の額に算入しない。

プラスα　適用除外（法23の２②、法23の２③）

(1) 剰余金の配当等の額の全部又は一部が外国子会社の所得の金額の計算上損金の額に算入することとされている場合のその剰余金の配当等の額（一部損金算入の場合には、損金算入対応受取配当等の額をもって適用除外とされる配当等の額とすることができる。）

(2) 自己株式等の取得（市場購入によるもの等を除く。）によるみなし配当事由が生ずることが予定されている株式等の取得をした場合におけるその取得をした株式等に係る配当等の額でその予定されていた事由に基因するもの

テーマ 5

(MEMO)

テーマ

6

資産評価及び償却費等

6－1　棚卸資産の期末評価方法、選定、変更等
6－2　棚卸資産の取得価額
6－3　短期売買商品等の譲渡損益
6－4　短期売買商品等の期末評価、評価損益等
6－5　有価証券の譲渡損益（原則）
6－6　有価証券の譲渡損益（特例）
6－7　有価証券の期末評価、評価損益
6－8　有価証券の取得価額
6－9　デリバティブ取引
6－10　減価償却資産等の償却費等の損金算入
6－11　減価償却資産の償却方法の選定、変更等
6－12　減価償却資産の取得価額
6－13　繰延資産
6－14　金銭債務の償還差損益
6－15　外貨建取引の換算
6－16　外貨建資産等の期末換算
6－17　為替予約差額の配分
6－18　資産の評価損益

6−1 棚卸資産の期末評価方法、選定、変更等

1．売上原価等　重要度◎

売上原価等は、次の算式により計算されるため、適正な課税所得算定の見地から所定の評価方法を定めている。

期首棚卸高＋当期仕入高－期末評価額＝売上原価等

2．評価方法　重要度◎

(1) 原　則（法29①、令28）

棚卸資産につきその事業年度の損金の額に算入する金額を算定する場合の基礎となる期末棚卸資産の価額は、次の評価方法のうち内国法人が選定した評価方法により評価した金額とする。

①　原価法

次のいずれかの方法によって算出した取得価額を評価額とする方法をいう。

イ　個別法　　ロ　先入先出法　　ハ　総平均法　　ニ　移動平均法

ホ　最終仕入原価法　　ヘ　売価還元法

②　低価法

種類等ごとに原価法による評価額とその事業年度終了の時における価額とのうちいずれか低い価額を評価額とする方法をいう。

(2) 特　例（令28の２）

(1)に代え、納税地の所轄税務署長の承認により特別な評価方法を選定することができる。

3．選　定　重要度○

(1) 選定単位（令29）

評価方法は、その行う事業の種類ごとに、かつ、次の区分ごとに選定しなければならない。

①　商品又は製品　　②　半製品　　③　仕掛品　　④　主要原材料

⑤　補助原材料その他の棚卸資産

(2) 届　出（令29）

内国法人は、設立等の日の属する事業年度の確定申告期限までに、そのよるべき評価方法を書面により納税地の所轄税務署長に届け出なければならない。

４．法定評価方法（法29①、令31）

重要度◎

評価方法を選定しなかった場合又は選定した評価方法により評価しなかった場合には、最終仕入原価法による原価法により評価する。

５．変　更（令30）

重要度○

(1) 選定した評価方法（法定評価方法を含む。）を変更しようとするときは、その新たな評価方法を採用しようとする事業年度開始の日の前日までに、一定の申請書を納税地の所轄税務署長に提出し、その承認を受けなければならない。

(2) (1)の場合において、その事業年度終了の日までに承認又は却下の処分がなかったときは、同日に承認があったものとみなす。

６．棚卸資産の意義（法２二十、令10）

重要度◎

商品、製品、半製品、仕掛品、原材料その他の資産で棚卸しをすべきものとして一定のもの（有価証券及び短期売買商品等を除く。）をいう。

6−2 棚卸資産の取得価額

１．原　則（令28、令32）　重要度◎

(1) 棚卸資産の評価額の計算の基礎となる棚卸資産の取得価額は、次のそれぞれの金額とその資産を消費し、又は販売の用に供するために直接要した費用の額との合計額とする。

① 購　入（デリバティブ取引の適用があるものを除く。）
購入代価に購入費用を加算した金額

② 自己の製造等
製造等のために要した原材料費、労務費及び経費の額

③ ①②以外による取得（適格組織再編成によるものを除く。）
取得の時におけるその取得のために通常要する価額

(2) (1)②の棚卸資産につき算定した製造等の原価の額が(1)の金額と異なる場合において、その原価の額が適正な原価計算に基づいて算定されているときは、その原価の額を取得価額とみなす。

２．特　例（令33）　重要度○

次の場合には、それぞれの金額を取得価額とみなす。

(1) 評価益が益金算入された場合 … 本来の取得価額＋評価益の益金算入額

(2) 評価損が損金算入された場合 … 本来の取得価額－評価損の損金算入額

３．棚卸資産の意義（法２二十、令10）　重要度◎

商品、製品、半製品、仕掛品、原材料その他の資産で棚卸しをすべきものとして一定のもの（有価証券及び短期売買商品等を除く。）をいう。

参考　組織再編成（令28、令32）

組織再編成により移転を受けた棚卸資産の取得価額は、次のそれぞれの金額とその資産を消費し、又は販売の用に供するために直接要した費用の額との合計額とする。

(1) 適格組織再編成

①　適格合併又は適格分割型分割による引継ぎ

被合併法人又は分割法人の最後事業年度終了の時又は適格分割型分割の直前における期末評価額の計算の基礎となった取得価額

②　適格分社型分割、適格現物出資又は適格現物分配による取得

分割法人等の適格分社型分割等の直前の帳簿価額

(2) 非適格組織再編成

取得の時におけるその取得のために通常要する価額

6-3 短期売買商品等の譲渡損益

1．譲渡損益（法61①）　重要度◎

内国法人が短期売買商品等の譲渡をした場合には、その譲渡に係る譲渡利益額又は譲渡損失額（⑴と⑵の差額をいう。）は、その譲渡契約日の属する事業年度の益金の額又は損金の額に算入する。

(1) その短期売買商品等の譲渡の時における有償による譲渡により通常得べき対価の額

(2) その短期売買商品等の譲渡原価の額（１単位当たりの帳簿価額×譲渡をした短期売買商品等の数量）

2．帳簿価額の算出方法（令118の６）　重要度◎

譲渡原価の額を計算する場合におけるその１単位当たりの帳簿価額の算出方法は、移動平均法又は総平均法とする。

3．選　定（令118の６）　重要度○

(1) 選定単位

１単位当たりの帳簿価額の算出方法は、その種類等ごとに選定しなければならない。

(2) 届　出

内国法人は、新たな種類等の短期売買商品等の取得をした場合には、その取得日の属する事業年度の確定申告期限までに、そのよるべき算出方法を書面により納税地の所轄税務署長に届け出なければならない。

4．法定算出方法（法61①、令118の６）　重要度◎

１単位当たりの帳簿価額の算出方法を選定しなかった場合又は選定した算出方法により算出しなかった場合には、移動平均法によって算出する。

5．変　更（令118の6）

重要度○

(1)　1単位当たりの帳簿価額の算出方法（法定算出方法を含む。）を変更しようとするときは、その新たな算出方法を採用しようとする事業年度開始の日の前日までに、一定の申請書を納税地の所轄税務署長に提出し、その承認を受けなければならない。

(2)　(1)の場合において、その事業年度終了の日までに承認又は却下の処分がなかったときは、同日に承認があったものとみなす。

6．短期売買商品等の意義（法61①）

重要度◎

短期的な価格の変動を利用して利益を得る目的で取得した資産として一定のもの（有価証券を除く。）及び暗号資産をいう。

参考　全部事業廃止（法61⑤）

内国法人が、短期売買商品等（暗号資産を除く。以下同じ。）を有する場合において、短期売買商品等の売買を行う業務の全部を廃止したときは、その廃止した時において、その短期売買商品等をその時における価額により譲渡し、かつ、短期売買商品等以外の資産をその価額により取得したものとみなして、各事業年度の所得の金額を計算する。

6－4 短期売買商品等の期末評価、評価損益等

１．期末評価（法61②）　重要度◎

内国法人が事業年度終了の時（以下「期末時」という。）において有する短期売買商品等については、次の区分に応じそれぞれに定める方法（(2)にあっては選定した方法とし、選定しなかった場合には原価法）により評価した金額をもって期末評価額とする。

(1) 短期売買商品等（暗号資産にあっては、市場暗号資産に限るものとし、特定譲渡制限付暗号資産及び特定自己発行暗号資産を除く。）… 時価法

(2) 市場暗号資産に該当する特定譲渡制限付暗号資産（自己発行暗号資産を除く。）… 時価法又は原価法

(3) (1)(2)以外の短期売買商品等 … 原価法

２．評価損益（法61③、令118の８）　重要度◎

(1) 内国法人が期末時に短期売買商品等（時価法により評価した金額をもって期末時における評価額とするものに限る。）を有する場合には、その評価益又は評価損は、評価損益の計上禁止の規定にかかわらず、その事業年度の益金の額又は損金の額に算入する。

(2) (1)によりその事業年度の益金の額又は損金の額に算入した評価益又は評価損相当額は、その事業年度の翌事業年度の損金の額又は益金の額に算入するとともに、(1)の適用後の帳簿価額から減算し又は加算する。

３．取得価額（令118の５）　重要度○

短期売買商品等の取得価額は、次のそれぞれの金額とする。

(1) 購　入（デリバティブ取引の適用があるものを除く。）
　購入代価に購入費用を加算した金額

(2) 自己発行（暗号資産に限る。）
　その発行のために要した費用の額

(3) (1)(2)以外による取得（適格組織再編成によるものを除く。）
　取得の時におけるその取得のために通常要する価額

4．用語の意義（法61①）

重要度◎

(1) 短期売買商品等

短期的な価格の変動を利用して利益を得る目的で取得した資産として一定のもの（有価証券を除く。）及び暗号資産をいう。

(2) 時価法

期末時に有する短期売買商品等について、種類等ごとに期末時の価額をもって期末評価額とする方法をいう。

(3) 原価法

期末時に有する短期売買商品等について、期末時における帳簿価額をもって期末評価額とする方法をいう。

(4) 市場暗号資産

活発な市場が存在する暗号資産として一定のものをいう。

(5) 特定譲渡制限付暗号資産

譲渡についての制限等が付されている暗号資産でその条件が付されていることにつき適切に公表されるための手続が行われているものとして一定のものをいう。

(6) 特定自己発行暗号資産

その内国法人が発行し、かつ、その発行の時から継続して有する暗号資産（「自己発行暗号資産」という。）で継続して譲渡についての制限等が付されているものとして一定のものをいう。

6－5 有価証券の譲渡損益（原則）

１．譲渡損益（法61の２①）　重要度◎

内国法人が有価証券の譲渡をした場合には、その譲渡に係る譲渡利益額又は譲渡損失額（(1)と(2)の差額をいう。）は、その譲渡契約日等の属する事業年度の益金の額又は損金の額に算入する。

(1) その有価証券の譲渡の時における有償による譲渡により通常得べき対価の額（みなし配当の額を除く。）

(2) その有価証券の譲渡原価の額（１単位当たりの帳簿価額×譲渡をした有価証券の数）

２．帳簿価額の算出方法（令119の２）　重要度◎

譲渡原価の額を計算する場合におけるその１単位当たりの帳簿価額の算出方法は、移動平均法又は総平均法とする。

３．選　定（令119の５）　重要度○

(1) 選定単位

１単位当たりの帳簿価額の算出方法は、次の区分ごとに、かつ、その種類ごとに選定しなければならない。

① 売買目的有価証券

② 満期保有目的等有価証券

③ その他有価証券

(2) 届　出

内国法人は、新たな区分又は種類の有価証券の取得をした場合には、その取得日の属する事業年度の確定申告期限までに、そのよるべき算出方法を書面により納税地の所轄税務署長に届け出なければならない。

４．法定算出方法（法61の２①、令119の７）　重要度◎

１単位当たりの帳簿価額の算出方法を選定しなかった場合又は選定した算出方法により算出しなかった場合には、移動平均法によって算出する。

5．変　更（令119の6）

重要度○

(1)　1単位当たりの帳簿価額の算出方法（法定算出方法を含む。）を変更しようとするときは、その新たな算出方法を採用しようとする事業年度開始の日の前日までに、一定の申請書を納税地の所轄税務署長に提出し、その承認を受けなければならない。

(2)　(1)の場合において、その事業年度終了の日までに承認又は却下の処分がなかったときは、同日に承認があったものとみなす。

6．有価証券の意義（法2二十一）

重要度◎

金融商品取引法に規定する有価証券その他これに準ずるもので一定のもの（自己株式等及びデリバティブ取引に係るものを除く。）をいう。

参考　一定のもの（令11）

(1)　金融商品取引法に掲げる一定の権利
(2)　銀行法に規定する一定の金銭債権
(3)　合名会社等の社員の持分等その他法人の出資者の持分
(4)　株主又は投資主となる権利等その他法人の出資者となる権利

6−6 有価証券の譲渡損益（特例）

1．合併の場合（法61の2）　重要度○

(1) 被合併法人の株主等

金銭等不交付合併の場合の譲渡対価の額は、旧株の合併直前の帳簿価額相当額とする。

(2) 合併法人

① 親法人株式の交付

合併法人が適格合併により合併親法人株式を交付した場合の株式の譲渡対価の額は、その合併親法人株式のその合併直前の帳簿価額相当額とする。

② 親法人株式に係るみなし譲渡

合併法人が合併により親法人株式を交付しようとする場合において、契約日に親法人株式を有していたとき等は、その契約日等に親法人株式をその時における価額により譲渡し、かつ、親法人株式をその価額により取得したものとみなして、各事業年度の所得の金額を計算する。

2．分割型分割の場合（法61の2）　重要度○

(1) 分割法人の株主等

分割型分割により新株等の交付を受けた場合には、移転資産及び負債に対応する部分の譲渡を行ったものとみなして、譲渡損益額を計算する。

① 金銭等不交付分割型分割以外の場合の譲渡原価の額

… 所有株式の分割直前の分割純資産対応帳簿価額

② 金銭等不交付分割型分割の場合の譲渡対価の額及び譲渡原価の額

… 所有株式の分割直前の分割純資産対応帳簿価額

(2) 分割法人

適格分割型分割により株主等に分割承継法人又は分割承継親法人の株式を交付した場合の譲渡対価の額及び譲渡原価の額

… 移転資産及び負債の帳簿価額を基礎として一定の金額

(3) 分割承継法人

分割承継法人が適格分割により分割承継親法人株式を交付した場合の株式の譲渡対価の額は、その分割承継親法人株式のその分割直前の帳簿価額相当額とする。

３．株式交換の場合（法61の２）

重要度○

(1) 株式交換完全子法人の株主等

金銭等不交付株式交換の場合の譲渡対価の額は、旧株の株式交換直前の帳簿価額相当額とする。

(2) 株式交換完全親法人

① 親法人株式の交付

株式交換完全親法人が適格株式交換により株式交換完全支配親法人株式を交付した場合における株式の譲渡対価の額は、その株式交換完全支配親法人株式のその株式交換直前の帳簿価額相当額とする。

② 親法人株式に係るみなし譲渡

株式交換完全親法人が株式交換により親法人株式を交付しようとする場合において、契約日に親法人株式を有していたとき等は、その契約日等に親法人株式をその時における価額により譲渡し、かつ、親法人株式をその価額により取得したものとみなして、各事業年度の所得の金額を計算する。

４．株式移転の場合（法61の２）

重要度○

株式移転完全親法人株式以外の資産が交付されなかった場合の譲渡対価の額は、旧株の株式移転直前の帳簿価額相当額とする。

５．その他（法61の２）

重要度○

(1) 完全支配関係のみなし配当事由の場合

内国法人が、所有株式を発行した他の内国法人（その内国法人との間に完全支配関係があるものに限る。）のみなし配当事由により金銭等の交付を受けた場合等（当該他の内国法人の残余財産の分配を受けないことが確定した場合を含む。）の譲渡対価の額は、譲渡原価の額相当額とする。

(2) 資本の払戻し又は解散の場合

資本の払戻し又は解散による残余財産の一部分配の場合の譲渡原価の額は、その所有株式の払戻し直前の帳簿価額を基礎として計算した金額とする。

6−7 有価証券の期末評価、評価損益

1．期末評価（法61の3①）　重要度◎

内国法人が事業年度終了の時において有する有価証券については、次の区分に応じ、それぞれの金額をもって期末評価額とする。

(1) 売買目的有価証券　… 時価法により評価した金額

(2) 売買目的外有価証券 … 原価法により評価した金額

2．評価損益(売買目的有価証券)（法61の3②、令119の15）　重要度◎

(1) 内国法人が事業年度終了の時に売買目的有価証券を有する場合には、その評価益又は評価損は、評価損益の計上禁止の規定にかかわらず、その事業年度の益金の額又は損金の額に算入する。

(2) (1)によりその事業年度の益金の額又は損金の額に算入した評価益又は評価損相当額は、その事業年度の翌事業年度の損金の額又は益金の額に算入するとともに、(1)の適用後の帳簿価額から減算し又は加算する。

3．用語の意義（法2二十一、法61の3①、令119の14）　重要度◎

(1) 有価証券

金融商品取引法に規定する有価証券その他これに準ずるもので一定のもの（自己株式等及びデリバティブ取引に係るものを除く。）をいう。

(2) 売買目的有価証券

短期的な価格の変動を利用して利益を得る目的で取得した有価証券として一定のものをいう。

(3) 売買目的外有価証券

売買目的有価証券以外の有価証券をいう。

(4) 時価法

事業年度終了の時に有する有価証券について、銘柄ごとにその時の価額を期末評価額とする方法をいう。

(5) 原価法

事業年度終了の時に有する有価証券について、その時の帳簿価額（償還有価証券については、銘柄ごとに当期末調整前帳簿価額にその事業年度の調整差損益額を減算し又は加算した金額）を期末評価額とする方法をいう。

(MEMO)

6−8 有価証券の取得価額

１．原　則（令119）　重要度◎

有価証券の取得価額は、次のそれぞれの金額とする。

(1) **購　入**（信用取引等又はデリバティブ取引の適用があるものを除く。）
　購入代価に購入費用を加算した金額

(2) **金銭の払込み又は金銭以外の資産の給付による取得**（(4)に該当するもの等及び適格現物出資による取得を除く。）
　払込金額及び給付資産の価額に取得費用を加算した金額

(3) **株式等無償交付**（(4)に該当するもの等を除く。）
　零

(4) **有利な金額による払込み等**（株主等として取得したもの等及び適格現物出資による取得を除く。）
　取得の時におけるその取得のために通常要する価額

(5) **(1)〜(4)以外による取得**
　取得の時におけるその取得のために通常要する価額

２．有価証券の意義（法２二十一）　重要度◎

金融商品取引法に規定する有価証券その他これに準ずるもので一定のもの（自己株式等及びデリバティブ取引に係るものを除く。）をいう。

参考　組織再編成（令119）（短縮版）

(1) 金銭等不交付合併
　被合併法人株式の合併直前の帳簿価額＋みなし配当の額＋交付費用

(2) 金銭等不交付分割型分割
　分割法人株式の分割直前の帳簿価額×移転純資産割合＋みなし配当の額＋交付費用

(3) 適格分社型分割又は適格現物出資
　適格分社型分割又は適格現物出資直前の移転純資産の帳簿価額＋交付費用

(4) 金銭等不交付株式分配
　現物分配法人株式の株式分配直前の帳簿価額×株式分配割合＋みなし配当＋交付費用

(5) 金銭等不交付株式交換
　株式交換完全子法人株式の株式交換直前の帳簿価額＋交付費用

(6) 適格株式交換により取得をした株式交換完全子法人株式
　① 株主が50人未満である場合
　　株式交換完全子法人株式の適格株式交換直前の帳簿価額＋取得費用
　② 株主が50人以上である場合
　　株式交換完全子法人の簿価純資産価額＋取得費用

(7) 株式移転完全親法人株式のみが交付された場合
　株式移転完全子法人株式の株式移転直前の帳簿価額＋交付費用

(8) 適格株式移転により取得をした株式移転完全子法人株式
　① 株主が50人未満である場合
　　株式移転完全子法人株式の適格株式移転直前の帳簿価額＋取得費用
　② 株主が50人以上である場合
　　株式移転完全子法人の簿価純資産価額＋取得費用

(9) 完全支配関係がある法人間の取引の規定の適用がある非適格合併により移転を受けた有価証券で譲渡損益調整資産に該当するもの
　取得の時におけるその取得のために通常要する価額±譲渡損益額

(10) (1)～(9)以外による取得
　取得の時におけるその取得のために通常要する価額

テーマ16（組織再編成）参照

6−9 デリバティブ取引

1．未決済損益　重要度◎

(1) 内　容（法61の5①）

内国法人がデリバティブ取引を行った場合において、そのデリバティブ取引のうち期末時に決済されていないものがあるときは、期末時に決済したものとみなして算出した利益又は損失相当額は、その事業年度の益金の額又は損金の額に算入する。

(2) 翌事業年度（令120）

(1)によりその事業年度の益金の額又は損金の額に算入した金額相当額は、その事業年度の翌事業年度の損金の額又は益金の額に算入する。

2．資産を取得した場合（法61の5③）　重要度△

デリバティブ取引により金銭以外の資産を取得した場合には、その取得の時のその資産の価額と取得の対価として支払った金額との差額は、その取得の日の属する事業年度の益金の額又は損金の額に算入する。

3．繰延ヘッジ処理　重要度○

(1) 損益の繰延べ（法61の6①）

内国法人がヘッジ対象資産等損失額を減少させるためにデリバティブ取引等を行った場合において、そのデリバティブ取引等がその損失額を減少させるために有効であると認められるときは、そのデリバティブ取引等に係る利益又は損失相当額のうち有効である部分の金額は、その事業年度の益金の額又は損金の額に算入しない。

(2) 損益の計上（令121の5）

(1)により繰り延べた利益又は損失相当額は、ヘッジ対象資産等の譲渡等の日の属する事業年度の益金の額又は損金の額に算入する。

4. 時価ヘッジ処理

重要度○

(1) **内　容**（法61の7①）

内国法人が売買目的外有価証券の価額の変動により生ずるおそれのある損失の額を減少させるためにデリバティブ取引等を行った場合において、そのデリバティブ取引等がその損失の額を減少させるために有効であると認められるときは、その売買目的外有価証券の価額と帳簿価額との差額のうちそのデリバティブ取引等に係る利益又は損失相当額に対応する部分の金額は、その事業年度の損金の額又は益金の額に算入する。

(2) **翌事業年度**（令121の11）

(1)によりその事業年度の損金の額又は益金の額に算入した金額相当額は、その事業年度の翌事業年度の益金の額又は損金の額に算入するとともに、(1)の適用後の帳簿価額に加算し又は減算する。

参考　ヘッジ対象資産等損失額（法61の6①）

ヘッジ対象資産等損失額とは次の損失の額をいう。

(1) 資産（短期売買商品等及び売買目的有価証券を除く。）又は負債の価額の変動（期末時換算資産等の外国為替相場の変動に基因する変動を除く。）に伴って生ずるおそれのある損失

(2) 資産の取得、譲渡、負債の発生若しくは消滅等により受け取り又は支払うこととなる金銭の額の変動に伴って生ずるおそれのある損失

6−10 減価償却資産等の償却費等の損金算入

1．償却費の損金算入　重要度◎

(1) 内　容（法31①④）

内国法人の各事業年度終了の時において有する**減価償却資産**につきその償却費としてその事業年度の所得の金額の計算上損金の額に算入する金額は、その事業年度において**償却費として損金経理**をした金額（以下「損金経理額」という。）のうち、取得日等の区分に応じ選定した**償却方法**に基づき計算した**償却限度額**に達するまでの金額とする。

（注）損金経理額には、償却事業年度前の各事業年度における損金経理額のうち損金の額に算入されなかった金額を含むものとする。

(2) 償却超過額（令62）

内国法人がその有する減価償却資産についてした償却の額のうち各事業年度の損金の額に算入されなかった金額がある場合には、その資産の帳簿価額は、その金額の減額がされなかったものとみなす。

(3) 明細書の添付（令63）

損金経理額がある場合は、明細書を確定申告書に添付しなければならない。

2．少額の減価償却資産（令133）　重要度◎

事業の用に供した減価償却資産（リース資産等を除く。）で、次の(1)又は(2)を有する場合において、その取得価額相当額につき、その事業の用に供した日の属する事業年度に損金経理をしたときは、その損金経理をした金額は、その事業年度の損金の額に算入する。

(1) 取得価額が10万円未満であるもの※

(2) 使用可能期間が１年未満であるもの

※　貸付け（主要な事業として行われるものを除く。）の用に供したものを除く。

3．一括償却資産（令133の２）　重要度◎

(1) 内　容

減価償却資産で取得価額が20万円未満であるもの（リース資産等及び上記２．の適用を受けるものを除く。以下「対象資産」という。）を事業の用に供した場合において、その対象資産※の全部又は特定の一部を一括したもの（以下「一括償却資産」という。）の取得価額の合計額をその事業年度以後の費用の額又は損失の額とする方法を選定したときは、その一括償却資産につきその事業年度以後の損金の額に算入する金額は、損金経理をした金額（以下「損金経理額」という。）のうち、損金算入限度額に達するまでの金額とする。

※　貸付け（主要な事業として行われるものを除く。）の用に供したものを除く。

(2) **損金算入限度額**

$$\text{取得価額の合計額} \times \frac{\text{その事業年度の月数}}{36}$$

(3) **明細書の添付**

損金経理額がある場合は、明細書を確定申告書に添付しなければならない。

４．中小企業者等の少額減価償却資産の特例（措法67の５）　重要度◎

(1) **内　容**

青色申告書を提出する中小企業者等（常時使用する従業員数が500人以下の法人に限る。）が取得等し、かつ、事業の用に供した減価償却資産で、その取得価額が30万円未満であるもの（取得価額が10万円未満であるものその他一定のもの※を除く。以下「少額減価償却資産」という。）を有する場合において、その取得価額相当額につき、その事業の用に供した日の属する事業年度に損金経理をしたときは、その損金経理をした金額は、その事業年度の損金の額に算入する。

※　その他一定のもの … 上記２．又は３．等の適用を受けるもの及び貸付け（主要な事業として行われるものを除く。）の用に供したもの

(注) その事業年度の少額減価償却資産の取得価額の合計額が年300万円を超えるときは、その取得価額の合計額のうち年300万円に達するまでの少額減価償却資産の取得価額の合計額を限度とする。

(2) **明細書の添付**

この規定は、確定申告書等に明細書の添付がある場合に限り適用する。

５．減価償却資産の意義（法２二十三、令13）　重要度◎

棚卸資産、有価証券及び繰延資産以外の資産のうち償却をすべきものとして一定のものをいう。なお、事業の用に供していないもの及び時の経過によりその価値の減少しないものを除く。

テーマ６　資産評価及び償却費等　　ランク A

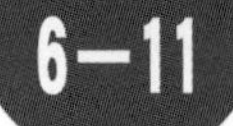

6−11 減価償却資産の償却方法の選定、変更等

１．償却方法

重要度○

減価償却資産の償却限度額の計算上選定することができる償却方法は、次の区分に応じそれぞれの方法とする。

(1) 平成19年３月31日以前に取得された減価償却資産（令48）

①　建　物（③を除く。）

イ　平成10年３月31日以前に取得された建物 … 旧定額法、旧定率法

ロ　イ以外の建物 … 旧定額法

②　建物以外の有形減価償却資産（③及び⑥を除く。） … 旧定額法、旧定率法

③　鉱業用減価償却資産（⑤及び⑥を除く。）

… 旧定額法、旧定率法、旧生産高比例法

④　無形減価償却資産（⑤を除く。）及び生物 … 旧定額法

⑤　鉱業権 … 旧定額法、旧生産高比例法

⑥　国外リース資産 … 旧国外リース期間定額法

(2) 平成19年４月１日以後に取得された減価償却資産（令48の２）

①　建物及びその附属設備、構築物（③及び⑥を除く。）

イ　平成28年３月31日以前取得（建物を除く。） … 定額法、定率法

ロ　イ以外 … 定額法

②　①以外の有形減価償却資産（③及び⑥を除く。） … 定額法、定率法

③　鉱業用減価償却資産（⑤及び⑥を除く。）

イ　平成28年４月１日以後取得の建物及びその附属設備、構築物

… 定額法、生産高比例法

ロ　イ以外 … 定額法、定率法、生産高比例法

④　無形減価償却資産（⑤及び⑥を除く。）及び生物 … 定額法

⑤　鉱業権 … 定額法、生産高比例法

⑥　リース資産（所有権移転外リース取引に係る契約が平成20年４月１日以後に締結されたものに限る。） … リース期間定額法

（注）定率法

イ　平成24年３月31日以前に取得をされたもの … 250％定率法

ロ　平成24年４月１日以後に取得をされたもの … 200％定率法

(3) 特　例（令48の４、令49、令50）

①　(1)及び(2)に代え、納税地の所轄税務署長の承認により特別な償却方法又は取替法等を選定することができる。

②　リース賃貸資産（改正前リース取引の目的とされている減価償却資産（国外リース資産を除く。）をいう。）については、旧リース期間定額法を選定することができる。

２．選　定

重要度○

(1) 選定単位（令51、規14）

償却方法は、耐用年数省令に定める種類ごと（機械装置等については設備の種類ごと）に選定しなければならない。

（注）２以上の事業所等を有する内国法人は、事業所等ごとに選定することができる。

(2) 届　出（令51）

内国法人は、設立等の日の属する事業年度の確定申告期限までに、そのよるべき償却方法を書面により納税地の所轄税務署長に届け出なければならない。

ただし、償却方法が選定できないものについてはこの限りでない。

(3) みなし選定（鉱業用減価償却資産以外）（令51）

旧償却方法適用資産につき、既に旧定額法、旧定率法を選定している場合（法定償却方法を含む。）において、その旧償却方法適用資産と同一の区分に属する新償却方法適用資産につき、償却方法の選定の届出をしていないときは、次の区分に応じそれぞれの方法を選定したものとみなす。

①　旧定額法 … 定額法

②　旧定率法 … 定率法

３．法定償却方法（法31①、令53）

重要度○

償却方法を選定しなかった場合には、次のそれぞれの方法により償却する。

(1) 平成19年３月31日以前に取得された減価償却資産

①　建物以外の有形減価償却資産及び平成10年３月31日以前に取得された建物 … 旧定率法

②　鉱業用減価償却資産及び鉱業権 … 旧生産高比例法

(2) 平成19年４月１日以後に取得された減価償却資産

①　上記１(2)①イ、② … 定率法

②　鉱業用減価償却資産及び鉱業権 … 生産高比例法

４．変　更（令52）

重要度○

(1)　選定した償却方法（法定償却方法を含む。）を変更しようとするときは、その新たな償却方法を採用しようとする事業年度開始の日の前日までに、一定の申請書を納税地の所轄税務署長に提出し、その承認を受けなければならない。

(2)　(1)の場合において、その事業年度終了の日までに承認又は却下の処分がなかったときは、同日に承認があったものとみなす。

5．用語の意義（令48の２）

重要度◎

(1) リース資産

所有権移転外リース取引に係る賃借人が取得したものとされる減価償却資産をいう。

(2) 所有権移転外リース取引

リース取引に係る所得の金額の計算に規定するリース取引のうち、次のいずれかに該当するもの（これらに準ずるものを含む。）以外のものをいう。

① リース期間終了時又はリース期間の中途において、目的資産が無償又は名目的な対価の額でその賃借人に譲渡されるもの。

② その賃借人に対し、リース期間終了時又はリース期間の中途において、目的資産を著しく有利な価額で買い取る権利が与えられているもの。

③ 目的資産の種類等に照らし、目的資産がその使用可能期間中その賃借人によってのみ使用されると見込まれるもの又は目的資産の識別が困難であると認められるもの。

④ リース期間が目的資産の耐用年数に比して相当短いもの（その賃借人の税負担を著しく軽減することになると認められるものに限る。）。

参考 相当短いものの意義（基通７－６の２－７）

「リース期間が目的資産の耐用年数に比して相当短いもの」とは、次のリース資産をいい、これらは、いわゆる「所有権移転リース取引」の取扱いとなる。

(1) 耐用年数が10年未満のもの … リース期間＜耐用年数の70%（注）

(2) 耐用年数が10年以上のもの … リース期間＜耐用年数の60%（注）

（注）１年未満の端数があるときは切り捨てる。

（MEMO）

6−12 減価償却資産の取得価額

1. 原　則（令54）

重要度◎

(1) 減価償却資産の取得価額は、次のそれぞれの金額とその資産を事業の用に供するために直接要した費用の額との合計額とする。

① 購　入
購入代価に購入費用を加算した金額

② 自己の建設等
建設等のために要した原材料費、労務費及び経費の額

③ 自己が成育させた牛馬等
購入代価等、飼料費、労務費及び経費の額

④ 自己が成熟させた果樹等
購入代価等、肥料費、労務費及び経費の額

⑤ ①～④以外による取得
取得の時におけるその取得のために通常要する価額

(2) (1)②に掲げる減価償却資産につき算定した建設等の原価の額が(1)の金額と異なる場合において、その原価の額が適正な原価計算に基づいて算定されているときは、その原価の額を取得価額とみなす。

2. 特　例

重要度○

(1) 圧縮記帳適用資産（令54等）

圧縮記帳の適用を受けた場合には、圧縮による損金算入額を控除した金額を取得価額とみなす。

(2) 評価換え等により帳簿価額が増額された場合（令54）

次の金額を取得価額とみなす。
本来の取得価額＋増額された金額

(3) 資本的支出があった場合（令55）

① 内国法人が有する減価償却資産について支出する金額のうちに資本的支出として支出事業年度の損金の額に算入されなかった金額がある場合には、その金額を取得価額として、その有する減価償却資産と種類及び耐用年数を同じくする減価償却資産を新たに取得したものとする。

② ①の場合に、その有する減価償却資産について旧償却方法を採用しているときは、①にかかわらず、その金額をその減価償却資産の取得価額に加算することができる。

③　その事業年度の前事業年度に①に規定する損金の額に算入されなかった金額がある場合において、その有する減価償却資産（平成24年３月31日以前取得資産を除く。以下「旧減価償却資産」という。）及び①の規定により新たに取得したものとされた減価償却資産（以下「追加償却資産」という。）について定率法を採用しているときは、①にかかわらず、その事業年度開始の時に、旧減価償却資産の帳簿価額と追加償却資産の帳簿価額との合計額を取得価額とする一の減価償却資産を、新たに取得したものとすることができる。

３．減価償却資産の意義（法２二十三、令13）　重要度◎

棚卸資産、有価証券及び繰延資産以外の資産のうち償却をすべきものとして一定のものをいう。なお、事業の用に供していないもの及び時の経過によりその価値の減少しないものを除く。

参考　適格組織再編成（令54）

適格組織再編成により移転を受けた減価償却資産の取得価額は、次のそれぞれの金額とその資産を事業の用に供するために直接要した費用の額との合計額とする。

(1)　適格合併又は適格現物分配（残余財産の全部の分配に限る。）による受入

被合併法人等がその適格合併等の日の前日の属する事業年度においてその資産の償却限度額の計算の基礎とすべき取得価額

(2)　適格分割、適格現物出資又は適格現物分配（(1)を除く。）による受入

分割法人等がその適格分割等の日の前日を事業年度終了の日とした場合にその事業年度においてその資産の償却限度額の計算の基礎とすべき取得価額

テーマ6

6－13 繰延資産

１．繰延資産の意義及び範囲（法２二十四、令14）　重要度◎

法人が支出する費用（資産の取得に要した金額とされるべき費用及び前払費用を除く。）のうち支出の効果がその支出の日以後１年以上に及ぶもので次のものをいう。

(1) 創立費　(2) 開業費　(3) 開発費　(4) 株式交付費　(5) 社債等発行費

(6) (1)～(5)のほか次の費用

① 自己が便益を受ける公共的施設又は共同的施設の設置又は改良のために支出する費用

② 資産を賃借し又は使用するために支出する権利金、立ちのき料その他の費用

③ 役務の提供を受けるために支出する権利金その他の費用

④ 製品等の広告宣伝の用に供する資産を贈与したことにより生ずる費用

⑤ ①～④のほか、自己が便益を受けるために支出する費用

２．償却費の損金算入　重要度◎

(1) 内　容（法32①⑥）

内国法人の各事業年度終了の時の繰延資産につき、その償却費としてその事業年度の所得の金額の計算上損金の額に算入する金額は、その事業年度において償却費として損金経理をした金額（以下「損金経理額」という。）のうち、償却限度額に達するまでの金額とする。

（注）損金経理額には、償却事業年度前の各事業年度における損金経理額のうち損金の額に算入されなかった金額を含むものとする。

(2) 償却超過額（令65）

均等償却を行う繰延資産についてした償却の額のうち各事業年度の損金の額に算入されなかった金額がある場合には、その繰延資産の帳簿価額は、その金額の減額がされなかったものとみなす。

(3) 明細書の添付（令67）

損金経理額がある場合は、明細書を確定申告書に添付しなければならない。

３．償却限度額（令64）　重要度○

(1)　任意償却

上記１.⑴～⑸の繰延資産

… その繰延資産の額（既にした償却の額で損金算入額を控除した金額）

(2)　均等償却

上記１.⑹の繰延資産 … 次により計算した金額

$$\text{その繰延資産の額} \times \frac{\text{その事業年度の月数（支出事業年度は支出日から期末までの月数）}}{\text{支出の効果の及ぶ期間の月数}}$$

４．少額繰延資産（令134）　重要度◎

均等償却を行う繰延資産となる費用を支出する場合において、その支出金額が20万円未満であるものにつき、その支出日の属する事業年度に損金経理をしたときは、その損金経理をした金額は、その事業年度の損金の額に算入する。

6−14 金銭債務の償還差損益

1．償還差損益（令136の2）　重要度◎

内国法人が社債の発行等により金銭債務に係る債務者となった場合において、その金銭債務に係る収入額がその債務額を超え、又はその収入額がその債務額に満たないときは、その債務者となった日の属する事業年度から償還事業年度までの各事業年度の所得の金額の計算上、次により計算した金額（償還事業年度は、償還差益又は償還差損の額から前事業年度までの益金の額又は損金の額に算入された金額を控除した金額。）を益金の額又は損金の額に算入する。

$$\text{償還差益又は償還差損の額}\times\frac{\text{その事業年度の月数（注）}}{\text{償還期間の月数}}$$

（注）債務者となった事業年度は、債務者となった日から期末までの月数

テーマ６　資産評価及び償却費等　　ランクＡ

6−15 外貨建取引の換算

１．外貨建取引の換算（法61の８①）　重要度◎

内国法人が外貨建取引を行った場合には、その外貨建取引の円換算額は、その外貨建取引を行った時の外国為替相場により換算した金額とする。

（注）外貨建取引とは、外国通貨で支払が行われる資産の販売及び購入、役務の提供、金銭の貸付け及び借入れ、剰余金の配当その他の取引をいう。

２．先物外国為替契約等を締結した場合（法61の８②）　重要度◎

内国法人が先物外国為替契約等により外貨建取引（短期売買商品等又は売買目的有価証券の取得等を除く。）によって取得等する資産又は負債の金額の円換算額を確定させた場合において、その先物外国為替契約等の締結日においてその旨を帳簿書類に記載したときは、その資産又は負債については、その円換算額をもって１．により換算した金額とする。

6−16 外貨建資産等の期末換算

1．換算方法　重要度◎

(1) **内　容**（法61の9①）

内国法人が事業年度終了の時に有する外貨建資産等に係る円換算額は、次のそれぞれの方法により換算した金額とする。

① 外貨建債権・債務 … 発生時換算法又は期末時換算法

② 外貨建有価証券

イ 売買目的有価証券 … 期末時換算法

ロ 売買目的外有価証券（償還期限及び償還金額の定めのあるものに限る。）… 発生時換算法又は期末時換算法

ハ イ及びロ以外の有価証券 … 発生時換算法

③ 外貨預金 … 発生時換算法又は期末時換算法

④ 外国通貨 … 期末時換算法

(2) **特　例**（令122の3）

事業年度終了の時に有する外貨建資産等につき外国為替相場が著しく変動した場合には、その外貨建資産等に係る外貨建取引をその事業年度終了の時に行ったものとみなして、外貨建取引の換算及び(1)の規定を適用することができる。

2．換算差損益　重要度◎

(1) **内　容**（法61の9②）

事業年度終了の時に期末時換算法を適用する外貨建資産等を有する場合には、期末時換算法による円換算額とその時の帳簿価額との差額は、その事業年度の益金の額又は損金の額に算入する。

(2) **翌事業年度**（令122の8）

(1)によりその事業年度の益金の額又は損金の額に算入した金額相当額は、その事業年度の翌事業年度の損金の額又は益金の額に算入するとともに、(1)の適用後の帳簿価額から減算し又は加算する。

3．選　定　　重要度○

(1) **選定単位**（令122の4）

外貨建資産等の換算方法は、外国通貨の種類ごとに、かつ、一定の区分ごとに選定しなければならない。

(2) **届　出**（令122の5）

新たな外国通貨の種類又は区分の外貨建資産等に係る外貨建取引を行った場合には、取得日の属する事業年度の確定申告期限までに、そのよるべき換算方法を書面により納税地の所轄税務署長に届け出なければならない。

ただし、換算方法が選定できないものについてはこの限りでない。

4．法定換算方法（法61の9①、令122の7）　　重要度◎

換算方法を選定しなかった場合には、次の方法により換算する。

(1) 短期外貨建債権・債務、短期外貨預金 … 期末時換算法

(2) (1)以外のもの … 発生時換算法

5．変　更（令122の6）　　重要度○

(1) 選定した換算方法（法定換算方法を含む。）を変更しようとするときは、その新たな換算方法を採用しようとする事業年度開始の日の前日までに、一定の申請書を納税地の所轄税務署長に提出し、その承認を受けなければならない。

(2) (1)の場合において、その事業年度終了の日までに承認又は却下の処分がなかったときは、同日に承認があったものとみなす。

6．用語の意義（法61の9①）　　重要度◎

(1) **発生時換算法**

期末時に有する外貨建資産等について、外貨建取引の換算に用いた外国為替相場による円換算額（注）をもって期末円換算額とする方法をいう。

(2) **期末時換算法**

期末時に有する外貨建資産等について、その期末時の外国為替相場による円換算額（注）をもって期末円換算額とする方法をいう。

（注）先物外国為替契約等により円換算額を確定させ、その旨を帳簿書類に記載した場合には、その確定させた円換算額とする。

6−17 為替予約差額の配分

1．為替予約差額の配分（法61の10①）　重要度◎

内国法人が事業年度終了の時に有する外貨建資産等について、先物外国為替契約等により確定させた円換算額で換算したときは、その先物外国為替契約等の締結日（締結日がその外貨建資産等に係る外貨建取引を行った日前である場合には、その外貨建取引を行った日）の属する事業年度から決済日の属する事業年度までの各事業年度の所得の金額の計算上、為替予約差額のうちその各事業年度に配分すべき一定の金額は、益金の額又は損金の額に算入する。

（注）為替予約差額とは、先物外国為替契約等により確定させた円換算額と取引時の外国為替相場による円換算額との差額をいう。

2．短期外貨建資産等の特例　重要度◎

(1) 内　容（法61の10③）

短期外貨建資産等に係る為替予約差額は、上記1．の規定にかかわらず、締結日の属する事業年度の益金の額又は損金の額に算入することができる。

(2) 選　定（令122の10）

① 選定単位

(1)の方法は、外国通貨の種類を異にする短期外貨建資産等ごとに選定することができる。

② 届　出

(1)の場合には、選定しようとする事業年度の確定申告期限までに、その旨を記載した書面を納税地の所轄税務署長に届け出なければならない。

（MEMO）

6−18 資産の評価損益

1．評価益

重要度◎

(1) 原　則

① 計上禁止（法25①）

内国法人がその有する資産の評価換えをしてその帳簿価額を増額した場合には、その増額した部分の金額は、各事業年度の益金の額に算入しない。

② 帳簿価額（法25⑤）

①の評価換えにより増額された金額を益金の額に算入されなかった資産については、その事業年度以後の帳簿価額は、その増額がされなかったものとみなす。

(2) 会社更生法等の場合（法25②、令24）

内国法人がその有する資産につき次の評価換えをしてその帳簿価額を増額した場合には、その増額した部分の金額は、(1)の規定にかかわらず、その事業年度の益金の額に算入する。

① 会社更生法等に従って行う資産の評価換え

② 保険業法による株式の評価換え

(3) 民事再生法等の場合

① 内　容（法25③）

内国法人について再生計画認可の決定その他一定の事実が生じた場合において、その有する資産の価額につき所定の評定を行っているときは、その資産の評価益の額として一定の金額は、(1)の規定にかかわらず、その事業年度の益金の額に算入する。

② 申告要件（法25⑥⑦）

①の規定は、確定申告書に評価益に関する明細の記載があり、かつ、評価益に関する関係書類の添付がある場合に限り適用する。ただし、税務署長による宥恕がある。

2. 評価損　重要度◎

(1) 原　則

① 計上禁止（法33①）

内国法人がその有する資産の評価換えをしてその帳簿価額を減額した場合には、その減額した部分の金額は、各事業年度の損金の額に算入しない。

② 帳簿価額（法33⑥）

①の評価換えにより減額された金額を損金の額に算入されなかった資産については、その事業年度以後の帳簿価額は、その減額がされなかったものとみなす。

(2) 災害等の場合（法33②）

内国法人の有する資産につき、災害による著しい損傷によりその資産の価額がその帳簿価額を下回ることとなったことその他の一定の事実が生じた場合において、その資産の評価換えをして損金経理によりその帳簿価額を減額したときは、その減額した部分の金額のうち、その評価換えの直前の帳簿価額とその事業年度終了の時におけるその資産の価額との差額に達するまでの金額は、(1)の規定にかかわらず、その事業年度の損金の額に算入する。

(3) 会社更生法等の場合（法33③）

内国法人がその有する資産につき会社更生法等に従って行う資産の評価換えをしてその帳簿価額を減額した場合には、その減額した部分の金額は、(1)の規定にかかわらず、その事業年度の損金の額に算入する。

(4) 民事再生法等の場合

① 内　容（法33④）

内国法人について再生計画認可の決定その他一定の事実が生じた場合において、その有する資産の価額につき所定の評定を行っているときは、その資産の評価損の額として一定の金額は、(1)の規定にかかわらず、その事業年度の損金の額に算入する。

② 申告要件（法33⑦⑧）

①の規定は、確定申告書に評価損に関する明細の記載があり、かつ、評価損に関する関係書類の添付がある場合に限り、適用する。ただし、税務署長による宥恕がある。

(5) 適用除外（法33⑤）

内国法人が完全支配関係がある他の内国法人で清算中のもの等の株式等を有する場合におけるその株式等については、(2)から(4)の規定は、適用しない。

3．売買目的有価証券の時価法の特例（法61の3②）　重要度○

内国法人が事業年度終了の時に売買目的有価証券を有する場合には、その評価益又は評価損は、上記1．(1)及び2．(1)の規定にかかわらず、その事業年度の益金の額又は損金の額に算入する。

4．短期売買商品等の時価法の特例（法61③）　重要度○

内国法人が期末時に短期売買商品等（時価法により評価した金額をもって期末時における評価額とするものに限る。）を有する場合には、その評価益又は評価損は、上記1．(1)及び2．(1)の規定にかかわらず、その事業年度の益金の額又は損金の額に算入する。

プラスα　災害等の場合に資産の評価損の計上ができる事実（令68）

1．物損等の事実

(1) 棚卸資産

① 災害により著しく損傷したこと。

② 著しく陳腐化したこと。

③ ①又は②に準ずる特別の事実。

(2) 有価証券（売買目的有価証券は②又は③）

① 取引所売買有価証券等（発行済株式等の20%以上を有するものを除く。）の価額が著しく低下したこと。

② ①以外の有価証券について、その発行法人の資産状態が著しく悪化したため、その価額が著しく低下したこと。

③ ②に準ずる特別の事実。

(3) 固定資産

① 災害により著しく損傷したこと。

② 1年以上にわたり遊休状態にあること。

③ 本来の用途に使用することができないため他の用途に使用されたこと。

④ 資産の所在する場所の状況が著しく変化したこと。

⑤ ①～④に準ずる特別の事実。

(4) 繰延資産のうち他の者の有する固定資産を利用するために支出されたもの

① その支出の対象となった固定資産につき(3)①～④の事実が生じたこと。

② ①に準ずる特別の事実。

2．法的整理の事実

更生手続における評定が行われることに準ずる特別の事実（民事再生法の規定による再生手続開始の決定があったことによる財産の評定が行われること）をいう。

テーマ

7

給　与　等

7−1 役員及び使用人兼務役員の範囲

１．役員の意義及び範囲（法２十五、令７等）　重要度◎

法人の取締役、執行役、会計参与、監査役、理事、監事及び清算人並びにこれら以外の者で法人の経営に従事している者のうち次に掲げるものをいう。

(1) 法人の使用人（職制上使用人としての地位のみを有する者に限る。以下同じ。）以外の者

(2) 同族会社の使用人のうち、次の要件のすべてを満たしている者

① 所有割合が最も大きい株主グループから順次その順位を付し、その所有割合を順次加算した場合において、はじめて50%を超えるときにおけるこれらの株主グループ（同順位の場合にはその全ての株主グループ。）の上位３順位のいずれかにその者が属していること。

② その者の属する株主グループの所有割合が10%を超えていること。

③ その者（その配偶者及びこれらの者の所有割合が50%を超える他の会社を含む。）の所有割合が５%を超えていること。

２．使用人兼務役員の意義及び範囲　重要度◎

(1) 意　義（法34⑥）

役員（次の(2)の役員を除く。）のうち、部長、課長その他法人の使用人としての職制上の地位を有し、かつ、常時使用人としての職務に従事するものをいう。

(2) 使用人兼務役員とされない役員（法34⑥、令71）

① 社長、理事長

② 代表取締役、代表執行役、代表理事及び清算人

③ 副社長、専務、常務その他これらに準ずる職制上の地位を有する役員

④ 合名会社、合資会社及び合同会社の業務を執行する社員

⑤ 取締役（指名委員会等設置会社の取締役及び監査等委員である取締役に限る。）、会計参与及び監査役並びに監事

⑥ 上記のほか、同族会社の役員のうち、上記１.(2)の①～③の要件の全てを満たしている者

留意点　同族会社の特別規定

1．**役員の範囲**（法2十五、令7、令71）

同族会社の使用人のうち、次の要件のすべてを満たしている者で、法人の経営に従事しているものは役員とされる。

7－1　1．(2)①～③（略）

2．**使用人兼務役員の制限**（法34⑥、令71）

同族会社の役員のうち、上記1．の①～③の要件のすべてを満たしている者は使用人兼務役員とされない。

7−2 役員給与

1．役員給与　重要度◎

(1) **定期同額給与等以外の給与**（法34①）

内国法人がその役員に対して支給する給与（退職給与で業績連動給与に該当しないもの、使用人兼務役員に対する使用人分給与及び(3)の適用があるものを除く。）のうち次の給与のいずれにも該当しないものの額は、各事業年度の損金の額に算入しない。

① 定期同額給与

② 事前確定届出給与

③ 内国法人（同族会社にあっては非同族会社との間にその法人による完全支配関係があるものに限る。）がその業務執行役員に対して支給する業績連動給与で一定の要件を満たすもの

(2) **過大役員給与**（法34②）

内国法人がその役員に対して支給する給与（(1)又は(3)の適用があるものを除く。）の額のうち不相当に高額な部分の金額は、各事業年度の損金の額に算入しない。

(3) **仮装経理等**（法34③）

内国法人が、事実を隠蔽し、又は仮装経理することによりその役員に対して支給する給与の額は、各事業年度の損金の額に算入しない。

2．経済的な利益（法34④）　重要度○

上記1.の給与には、債務免除益その他の経済的な利益を含むものとする。

3．定期同額給与（法34①）　重要度◎

その支給時期が1月以下の一定の期間ごとである給与（以下「定期給与」という。）でその事業年度の各支給時期における支給額が同額であるものその他これに準ずるものとして一定のものをいう。

４．事前確定届出給与（法34①）

重要度◎

その役員の職務につき所定の時期に確定した金銭又は株式等を交付する旨の定めに基づいて支給する給与で定期同額給与及び業績連動給与のいずれにも該当しないもの。なお、非同族会社が定期給与を支給しない役員に対して支給する給与で金銭によるもの以外（株式等による一定のものを除く。）は納税地の所轄税務署長にその定めの内容に関する届出をしているものに限る。

プラスα　定期同額給与の範囲（令69）

(1) 次の改定がされた場合、改定前後の各支給時期における支給額が同額であるもの

① 期首から３月（確定申告書の提出期限の延長を受けている場合、指定月数に２を加えた月数）以内の改定

② ①以外に、役員の職制上の地位の変更等の事情（臨時改定事由）による改定

③ ①②以外に、経営状況が著しく悪化したこと等の理由（業績悪化改定事由）による減額改定

(2) 継続的に供与される経済的な利益のうち、その額が毎月おおむね一定であるもの

プラスα　事前確定届出給与の届出期限（令69）

(1)　通常の場合

①　原　則

次のいずれか早い日までとする。

イ　役員の職務につき所定の時期に確定額を支給する旨の定めをした株主総会等の決議日（職務執行開始日後である場合にはその開始日）から１月を経過する日

ロ　その事業年度開始の日から４月（確定申告書の提出期限の延長を受けている場合、指定月数に３を加えた月数）を経過する日

②　設立の場合

設立の日以後２月を経過する日

(2)　臨時改定事由が生じた場合

臨時改定事由が生じた日から１月を経過する日

(3)　既に届け出た(1)(2)の内容を変更する場合

次のそれぞれの日までとする。

①　臨時改定事由が生じた場合

臨時改定事由が生じた日から１月を経過する日

②　業績悪化改定事由が生じた場合

変更決議をした日から１月を経過する日

プラスα　不相当に高額な部分の金額（令70）

不相当に高額な部分の金額は次の金額の合計額とする。

(1)　退職給与以外

次のいずれか多い金額

①　その役員に支給した給与（退職給与以外のものをいう。）の額（次の(3)を除く。）が、その役員の職務の内容等に照らし、その職務に対する対価としての相当額を超える場合のその超える部分の金額

（注）役員が２人以上の場合は、これらの役員に係るその超える部分の金額の合計額

②　定款等により限度額等を定めている内国法人が、その役員（限度額等が定められた給与の支給対象となるものに限る。）に支給した給与の額の合計額（使用人兼務役員の使用人分給与を含めないで限度額等を定めている場合は、使用人分給与の支給額（次の(3)を除く。）のうち使用人分相当額を除く。）が限度額等を超える場合のその超える部分の金額

(2)　退職給与

その退職した役員に対し支給した退職給与の額（全額が損金不算入とされるものを除く。）が、その役員のその内国法人の業務に従事した期間等に照らし、その退職給与としての相当額を超える場合のその超える部分の金額

(3)　使用人兼務役員の使用人分賞与

使用人兼務役員の使用人分賞与で、他の使用人の支給時期と異なる時期に支給したものの額

7-3 使用人給与

1. 過大使用人給与（法36）　重要度◎

内国法人がその役員と特殊の関係のある使用人に対して支給する給与（債務免除益その他の経済的な利益を含む。）の額のうち不相当に高額な部分の金額は、各事業年度の損金の額に算入しない。

2. 使用人賞与の損金算入時期（令72の3）　重要度○

内国法人がその使用人に賞与を支給する場合には、次のそれぞれの日の属する事業年度に支給されたものとして、各事業年度の所得の金額を計算する。

(1) 労働協約又は就業規則により定められる支給予定日が到来している賞与（使用人にその支給額が通知され、かつ、その支給予定日又は通知日の属する事業年度に損金経理をしているものに限る。）
… その支給予定日又は通知日のいずれか遅い日

(2) 次の要件のすべてを満たす賞与 … その支給額の通知日
① 支給額を各人別に、かつ、同時期に支給を受けるすべての使用人に通知していること。
② ①の通知した金額を通知したすべての使用人に対し、その通知日の属する事業年度終了の日の翌日から1月以内に支払っていること。
③ 支給額につき①の通知日の属する事業年度に損金経理していること。

(3) (1)(2)以外の賞与 … その支給日

プラスα　特殊の関係のある使用人（令72）

特殊の関係のある使用人は、次に掲げる者とする。
(1) 役員の親族
(2) 役員と事実上婚姻関係にある者
(3) (1)(2)以外の者で役員から生計の支援を受けているもの
(4) (2)(3)に掲げる者と生計を一にするこれらの者の親族

プラスα　不相当に高額な部分の金額（令72の２）

その使用人に支給した給与の額が、その使用人の職務の内容等に照らし、その職務に対する対価としての相当額（退職給与にあっては、その使用人のその内国法人の業務に従事した期間等に照らしその退職給与としての相当額。）を超える場合のその超える部分の金額

参考　使用人賞与の範囲（令72の３）

上記**２**.の賞与とは、臨時的な給与のうち次のもの以外のものをいい、使用人兼務役員に対する使用人分賞与を含むものとする。
(1) 退職給与
(2) 他に定期の給与を受けていない者に対し、継続して毎年所定の時期に定額を支給する旨の定めに基づいて支給されるもの
(3) 特定譲渡制限付株式等及び特定新株予約権等によるもの

7−4 譲渡制限付株式を対価とする費用

1．費用の帰属事業年度の特例等

重要度◎

(1) 役務提供の時期（法54①）

内国法人が個人から役務の提供を受ける場合において、その役務の提供に係る費用の額につき特定譲渡制限付株式等が交付されたときは、その個人においてその役務の提供につき給与等課税額が生ずることが確定した日に役務の提供を受けたものとして、法人税法の規定を適用する。

(2) 給与等課税額が生じないとき（法54②）

(1)の場合に、その個人において(1)の役務の提供につき給与等課税額が生じないときは、その役務の提供を受けたことによる費用の額又はその役務の全部若しくは一部の提供を受けられなかったことによる損失の額は、その内国法人の各事業年度の損金の額に算入しない。

(3) 明細書の添付（法54③）

個人から役務の提供を受ける内国法人は、特定譲渡制限付株式等の状況に関する明細書を確定申告書に添付しなければならない。

テーマ７　給与等　　　　ランク**B**

7−5 新株予約権を対価とする費用等

1．費用の帰属事業年度の特例等　　重要度◎

(1) 役務提供の時期（法54の２①）

内国法人が個人から役務の提供を受ける場合において、その役務の提供に係る費用の額につき特定新株予約権等が交付されたときは、その個人においてその役務の提供につき給与等課税事由が生じた日に役務の提供を受けたものとして、法人税法の規定を適用する。

(2) 給与等課税事由が生じないとき（法54の２②）

(1)の場合に、その個人において(1)の役務の提供につき給与等課税事由が生じないときは、その役務の提供を受けたことによる費用の額又はその役務の全部若しくは一部の提供を受けられなかったことによる損失の額は、その内国法人の各事業年度の損金の額に算入しない。

(3) 新株予約権の消滅（法54の２③）

(2)の場合に、特定新株予約権等が消滅したときは、その消滅による利益の額は、発行法人の各事業年度の益金の額に算入しない。

(4) 明細書の添付（法54の２④）

個人から役務提供を受ける内国法人は、特定新株予約権等の状況に関する明細書を確定申告書に添付しなければならない。

2．払込金銭等と発行価額との差額（法54の２⑤）　　重要度○

内国法人が新株予約権を発行する場合において、その新株予約権と引換えに払い込まれる金銭の額等が発行の時の価額に満たないとき又はその新株予約権と引換えに払い込まれる金銭の額等が発行の時の価額を超えるときは、その満たない部分の金額又はその超える部分の金額は、各事業年度の損金の額又は益金の額に算入しない。

(MEMO)

テーマ

8

その他の営業経費

8−1 寄附金

1．寄附金の額（法37⑦）　重要度◎

寄附金の額は、寄附金、拠出金、見舞金その他いずれの名義をもってするかを問わず、内国法人が金銭その他の資産又は経済的な利益の贈与又は無償の供与をした場合におけるその金銭の額若しくは金銭以外の資産のその贈与時の価額又はその経済的な利益のその供与時の価額によるものとする。

ただし、広告宣伝費、見本品費、交際接待費及び福利厚生費とされるべきものは除く。

2．低額譲渡等（法37⑧）　重要度◎

内国法人が資産の譲渡又は経済的な利益の供与をした場合において、その譲渡又は供与の対価の額がその資産のその譲渡時の価額又はその経済的な利益のその供与時の価額に比して低いときは、その対価の額とその価額との差額のうち実質的に贈与又は無償の供与をしたと認められる金額は、寄附金の額に含まれるものとする。

3．損金不算入　重要度◎

(1) 損金不算入額（法37①）

内国法人が支出した寄附金の額（次の４．又は８．の寄附金の額を除く。）の合計額のうち、一般寄附金の損金算入限度額を超える部分の金額は、各事業年度の損金の額に算入しない。

(2) 指定寄附金等の特例（法37③④⑨⑩等）

①　次の寄附金の額の合計額は、(1)の寄附金の額の合計額に算入しない。ただし、公益法人等が支出したロの寄附金の額については、この限りでない。

イ　国又は地方公共団体に対する寄附金の額及び財務大臣が指定した寄附金の額の合計額

ロ　特定公益増進法人に対する寄附金の額等の合計額（その合計額が特別損金算入限度額を超える場合には、その特別損金算入限度額）

②　①の規定は、確定申告書、修正申告書又は更正請求書に①の寄附金の額及びその明細を記載した書類の添付がある場合（ロについては、かつ、その証明書類を保存している場合）に限り、記載金額を限度に適用する。ただし、ロの保存については、税務署長による宥恕がある。

４．法人による完全支配関係の場合（法37②）　重要度◎

内国法人がその内国法人との間に完全支配関係（法人による完全支配関係に限る。）がある他の内国法人に対して支出した寄附金の額は、各事業年度の損金の額に算入しない。

５．みなし寄附金（法37⑤）　重要度△

公益法人等が収益事業に属する資産のうちからその収益事業以外の事業のために支出した金額は、その収益事業に係る寄附金の額とみなす。

ただし、事実を隠蔽し、又は仮装経理することにより支出した金額については、この限りでない。

６．特定公益信託（法37⑥）　重要度△

内国法人が特定公益信託の信託財産とするために支出した金銭の額は、寄附金の額とみなす。

７．現金主義（令78）　重要度◎

寄附金の支出は、その支払がされるまでの間、なかったものとする。

８．国外関連者に対する寄附金（措法66の４③）　重要度○

法人が支出した寄附金の額のうち国外関連者に対するものは、各事業年度の損金の額に算入しない。

参考　損金算入限度額

(1) 一般寄附金の損金算入限度額（令73）

① 普通法人、協同組合等及び人格のない社団等など

イ　資本又は出資を有するもの

$$\left\{\left(\text{期末資本金の額等}\times\frac{\text{その事業年度の月数}}{12}\times\frac{2.5}{1,000}\right)+\left(\text{所得金額}\times\frac{2.5}{100}\right)\right\}\times\frac{1}{4}$$

ロ　資本又は出資を有しないもの

（特定非営利活動法人・一般社団法人及び一般財団法人を含む。）

$$\text{所得金額}\times\frac{1.25}{100}$$

② 公益法人等

イ　公益社団法人又は公益財団法人

(イ) 所得金額×50%
(ロ) 公益法人特別限度額（みなし寄附金を限度）
} いずれか多い金額

ロ　学校法人、社会福祉法人、社会医療法人

(イ) 所得金額×50%
(ロ) 年200万円
} いずれか多い金額

ハ　上記以外

所得金額×20%

(2) 特別損金算入限度額（令77の2）

<普通法人、協同組合等及び人格のない社団等など>

① 資本又は出資を有するもの

$$\left\{\left(\text{期末資本金の額等}\times\frac{\text{その事業年度の月数}}{12}\times\frac{3.75}{1,000}\right)+\left(\text{所得金額}\times\frac{6.25}{100}\right)\right\}\times\frac{1}{2}$$

② 資本又は出資を有しないもの

（特定非営利活動法人・一般社団法人及び一般財団法人を含む。）

$$\text{所得金額}\times\frac{6.25}{100}$$

（注）1　期末資本金の額等 … 期末資本金の額＋資本準備金の額

2　所得金額 … 仮計の金額＋支出寄附金の額

(MEMO)

8−2 交際費等

1．用語の意義（措法61の4⑥⑧、措令37の5等）　重要度◎

(1) 接待飲食費

交際費等のうち飲食その他これに類する行為のために要する費用（専らその法人の役員若しくは従業員又はこれらの親族に対する接待等のために支出するものを除く。以下「飲食費」という。）で、その旨につき帳簿書類に記載して明らかにされているものをいう。

(2) 交際費等

交際費、接待費、機密費その他の費用で、法人が、その得意先、仕入先その他事業に関係のある者等に対する接待、供応、慰安、贈答その他これらに類する行為のために支出するものをいう。

ただし、次の費用を除く。

① 専ら従業員の慰安のために行われる運動会等のために通常要する費用

② 飲食費で支出金額を参加者の数で除して計算した金額が１万円以下のもの

③ ①②の他、カレンダー等の贈与、会議、取材等に通常要する費用

なお、②の規定は、一定の書類を保存している場合に限り適用する。

2．損金不算入（措法61の4①②⑦）　重要度◎

(1) 法人が各事業年度において支出する交際費等の額（その事業年度終了の日における資本金の額が100億円以下である法人については、その交際費等の額のうち接待飲食費の額の50%相当額を超える部分の金額）は、その事業年度の損金の額に算入しない。

(2) 法人のうち期末資本金の額が１億円以下であるもの（期末に大法人による完全支配関係がある普通法人その他一定の普通法人を除く。）は、次の金額を(1)の超える部分の金額とすることができる。

① 交際費等の額が年800万円（以下「定額控除限度額」という。）以下の場合　0

② 交際費等の額が定額控除限度額を超える場合　その超える部分の金額

（注）大法人とは、資本金の額が５億円以上である法人等をいう。

(3) (2)の規定は確定申告書等、修正申告書又は更正請求書に定額控除限度額の計算に関する明細書の添付がある場合に限り、適用する。

プラスα　その他一定の普通法人（法66⑤）

普通法人との間に完全支配関係がある全ての大法人が有する株式等の全部をそのうちいずれか一の大法人が有するものとみなした場合にその大法人による完全支配関係があるときのその普通法人

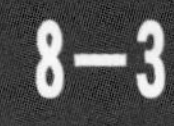

租税公課、不正行為等に係る費用

1．法人税等（法38①②、法39～法41）　重要度◎

内国法人が納付する次の額は、各事業年度の損金の額に算入しない。

(1) 法人税及び地方法人税（延滞税等を除く。）

ただし、次のものを除く。

① 退職年金等積立金に対する法人税及び地方法人税

② 還付加算金の返戻額

③ 利子税

(2) (1)以外の租税公課

① 相続税法により人格のない社団等が納付する贈与税及び相続税

② 住民税（(1)①に係るものを除く。）

③ 益金不算入の適用を受ける外国子会社配当等に係る外国源泉税等

④ 法人税額から控除される所得税の額

⑤ 税額控除の対象となる外国法人税の額

⑥ 第二次納税義務に係る納付税額

2．隠蔽仮装行為に係る費用等（法55）　重要度◎

(1) 内国法人が、隠蔽仮装行為により法人税の負担を減少させ、又は減少させようとする場合には、その隠蔽仮装行為に要する費用の額又はその隠蔽仮装行為により生ずる損失の額は、各事業年度の損金の額に算入しない。

(2) (1)の規定は、内国法人が隠蔽仮装行為によりその納付すべき法人税以外の租税の負担を減少させ、又は減少させようとする場合について準用する。

(3) 内国法人が、隠蔽仮装行為に基づき確定申告書を提出しており、又は確定申告書を提出していなかった場合には、これらの確定申告書に係る事業年度の原価の額、費用の額及び損失の額（その事業年度の確定申告書を提出していた場合には、これらの額のうちその確定申告書に記載した金額等を除く。）は、各事業年度の損金の額に算入しない。ただし、保存する帳簿書類等によりその原価の額、費用の額又は損失の額の基因となる取引が行われたこと及びこれらの額が明らかである場合にはこの限りでない。

３．附帯税、賄賂等（法55）

重要度△

内国法人が納付等する次の額等は、各事業年度の損金の額に算入しない。

(1) 国税に係る延滞税等及び印紙税法の規定による過怠税
(2) 地方税法の規定による延滞金等（納期限延長の場合の延滞金を除く。）
(3) 罰金及び科料並びに過料
(4) 国民生活安定緊急措置法の課徴金及び延滞金
(5) 独占禁止法の課徴金及び延滞金
(6) 金融商品取引法の課徴金及び延滞金
(7) 賄賂等に当たるべき金銭等の合計額に相当する費用又は損失の額

8−4 還付金等

1．還付金等の益金不算入（法26①②③⑤）

重要度◎

内国法人が次に掲げるものの還付を受け、又はその還付を受けるべき金額を未納の国税等に充当される場合には、その還付を受け又は充当される金額は、各事業年度の益金の額に算入しない。

(1) 法人税（延滞税等を除く。）の還付金

次のものを除く。

① 退職年金等積立金に対する法人税及び地方法人税

② 還付加算金

③ 利子税

(2) (1)以外の還付金

① 相続税法により人格のない社団等が納付する贈与税及び相続税の還付金

② 住民税（(1)①に係るものを除く。）の還付金

③ 国税に係る延滞税等及び印紙税法の規定による過怠税の還付金

④ 地方税法の規定による延滞金等（納期限延長の場合の延滞金を除く。）の還付金

⑤ 罰金及び科料並びに過料の還付金

⑥ 国民生活安定緊急措置法の課徴金及び延滞金の還付金

⑦ 独占禁止法の課徴金及び延滞金の還付金

⑧ 金融商品取引法の課徴金及び延滞金の還付金

⑨ 所得税額等の還付金

⑩ 欠損金の繰戻し還付による還付金等

(3) 外国税等の減額

① 外国子会社から受ける配当等に係る外国源泉税等の損金不算入の規定により各事業年度の損金の額に算入されない外国源泉税等の額が減額された場合のその減額された金額

② 外国税額控除の適用を受けた事業年度開始の日後７年以内に開始する各事業年度にその外国法人税の額が減額された場合のその減額された金額のうち一定の金額

(MEMO)

8−5 資産に係る控除対象外消費税額等

1．損金算入（令139の4）　重要度◎

(1) 内国法人が課税売上割合が80%以上である事業年度に生じた資産に係る控除対象外消費税額等の合計額につき、損金経理をしたときは、その損金経理した金額は、その事業年度の損金の額に算入する。

(2) 内国法人が課税売上割合が80%未満である事業年度に生じた資産に係る控除対象外消費税額等のうち次のもの等の合計額につき、損金経理をしたときは、その損金経理した金額は、その事業年度の損金の額に算入する。

① 棚卸資産に係るもの

② 20万円未満であるもの（①を除く。）

2．繰延消費税額等（令139の4）　重要度◎

(1) 内　容

内国法人の繰延消費税額等につきその事業年度の損金の額に算入する金額は、損金経理をした金額（以下「損金経理額」という。）のうち、損金算入限度額に達するまでの金額とする。

（注1）繰延消費税額等とは、資産に係る控除対象外消費税額等の合計額（上記1．により損金の額に算入される金額を除く。）をいう。

（注2）損金経理額には、損金経理事業年度前の各事業年度における損金経理額のうち損金の額に算入されなかった金額を含むものとする。

(2) 明細書の添付（令139の5）

損金経理額がある場合は、明細書を確定申告書に添付しなければならない。

(3) 損金算入限度額

① その事業年度に生じたもの

$$\text{繰延消費税額等} \times \frac{\text{その事業年度の月数}}{60} \times \frac{1}{2}$$

② その事業年度前に生じたもの

$$\text{繰延消費税額等} \times \frac{\text{その事業年度の月数}}{60}$$

テーマ

9

圧縮記帳等

国庫補助金等の圧縮記帳

１．圧縮記帳　重要度◎

(1) 損金算入（法42①）

内国法人（清算中のものを除く。）が、次の要件を満たす場合において、その事業年度終了の時までに取得等をしたその交付目的に適合した固定資産につき、**圧縮限度額の範囲内で一定の経理**をしたときは、その経理した金額は、その事業年度の**損金の額に算入**する。

① 固定資産の取得等に充てるための国庫補助金等の交付を受けたこと。

② 国庫補助金等の返還不要が交付事業年度終了の時までに確定したこと。

(2) 圧縮限度額（法42①）

交付を受けた国庫補助金等の額相当額

(3) 経理方法（法42①、令80）

① 帳簿価額を損金経理により減額する方法

② 確定した決算において積立金として積み立てる方法

③ 決算確定の日までに剰余金の処分により積立金として積み立てる方法

(4) 取得価額等（令80の２、令93）

① 圧縮記帳の適用を受けた場合には、圧縮による損金算入額は、その固定資産の取得価額に算入しない。

② 圧縮記帳の適用を受ける資産については、その帳簿価額として**最低１円以上**の金額を付さなければならない。

２．申告要件（法42③④）　重要度△

上記**１.** の規定は、**確定申告書に圧縮額の損金算入に関する明細の記載**がある場合に限り適用する。ただし、税務署長による宥恕がある。

（MEMO）

9-2 国庫補助金等の特別勘定等

1．特別勘定　重要度◎

(1) 損金算入（法43①）

内国法人（清算中のものを除く。）が、次の要件を満たす場合において、繰入限度額以下の金額をその事業年度の確定した決算において特別勘定を設ける方法（決算確定の日までに剰余金の処分により積立金として積み立てる方法を含む。）により経理したときは、その経理した金額は、その事業年度の損金の額に算入する。

① 固定資産の取得等に充てるための国庫補助金等の交付を受けること。
② 国庫補助金等の返還不要が交付事業年度終了の時までに確定していないこと。

(2) 繰入限度額（法43①）

国庫補助金等の額相当額

(3) 取崩し（法43②③）

特別勘定を有する内国法人は、国庫補助金等について返還の要否が確定した場合等には、その特別勘定の金額のうち一定の金額を取り崩し、その事業年度の益金の額に算入する。

2．特別勘定設定後の圧縮記帳　重要度◎

(1) 損金算入（法44①）

特別勘定を有する内国法人が、次の要件を満たす場合において、その固定資産につき、圧縮限度額の範囲内で一定の経理をしたときは、その経理した金額は、その事業年度の損金の額に算入する。

① 国庫補助金等をもって交付目的に適合した固定資産の取得等をしたこと。
② 取得事業年度以後の事業年度に国庫補助金等の返還不要が確定したこと。

(2) 圧縮限度額（令82）

$$\text{返還不要確定日の固定資産の帳簿価額} \times \frac{\text{返還不要が確定した国庫補助金等の額（分母の金額を限度）}}{\text{固定資産の取得価額}}$$

(3) 経理方法（法44①、令80）

① 帳簿価額を損金経理により減額する方法
② 確定した決算において積立金として積み立てる方法
③ 決算確定の日までに剰余金の処分により積立金として積み立てる方法

(4) 取得価額等（令82の２、令93）

① 圧縮記帳の適用を受けた場合には、圧縮による損金算入額は、その固定資産の取得価額に算入しない。

② 圧縮記帳の適用を受ける資産については、その帳簿価額として最低１円以上の金額を付さなければならない。

３．申告要件（法43④⑤、法44②③）　重要度△

上記１．２．の規定は、確定申告書に特別勘定又は圧縮額の損金算入に関する明細の記載がある場合に限り適用する。ただし、税務署長による宥恕がある。

9−3 保険差益の圧縮記帳

1. 圧縮記帳　重要度◎

(1) 損金算入（法47①）

内国法人（清算中のものを除く。）が、**固定資産の滅失又は損壊**により**保険金等の支払**を受けた場合において、その事業年度終了の時までに取得（所有権移転外リース取引による取得を除く。）をした代替資産等につき、**圧縮限度額**の範囲内で一定の経理をしたときは、その経理した金額は、その事業年度の**損金の額**に算入する。

（注）代替資産とは、その固定資産に代替する同一種類の固定資産をいう。

(2) 圧縮限度額（令85、令87）

$$\text{保険差益金の額}\times\frac{\text{代替資産の取得等に充てた保険金等の額（分母の金額を限度）}}{\text{保険金等の額}-\text{滅失経費の額}}$$

（注）保険差益金の額＝{保険金等の額 − 滅失経費の額(A)} − 被災資産の被害直前の帳簿価額のうち被害部分相当額(B)

なお、保険金等の支払に代えて**代替資産の交付**を受けた場合の圧縮限度額は、次により計算する。

{代替資産の交付時の価額−(A)} −(B)

(3) 経理方法（法47①、令86）

① 帳簿価額を損金経理により減額する方法
② 確定した決算において積立金として積み立てる方法
③ 決算確定の日までに剰余金の処分により積立金として積み立てる方法

(4) 取得価額等（令87の２、令93）

① 圧縮記帳の適用を受けた場合には、圧縮による損金算入額は、その固定資産の取得価額に算入しない。
② 圧縮記帳の適用を受ける資産については、その帳簿価額として最低１円以上の金額を付さなければならない。

(5) 保険金等の範囲（法47①、令84）

保険金、一定の共済金又は損害賠償金で、固定資産の滅失又は損壊のあった日から３年以内に支払の確定したものをいう。

２．申告要件（法47③④）

重要度△

上記１．の規定は、確定申告書に圧縮額の損金算入に関する明細の記載がある場合に限り適用する。ただし、税務署長による宥恕がある。

9-4 保険差益の特別勘定等

１．特別勘定　重要度◎

(1) 損金算入（法48①）

内国法人（清算中のものを除く。）が、次の要件を満たす場合において、繰入限度額以下の金額をその事業年度の確定した決算において特別勘定を設ける方法（決算確定の日までに剰余金の処分により積立金として積み立てる方法を含む。）により経理したときは、その経理した金額は、その事業年度の損金の額に算入する。

① 固定資産の滅失又は損壊により保険金等の支払を受けること。

② 取得指定期間内に保険金等をもって代替資産の取得（所有権移転外リース取引による取得を除く。）等をする見込みであること。

(2) 繰入限度額（法48①、令89）

$$\text{保険差益金の額} \times \frac{\text{代替資産の取得等に充てようとする保険金等の額（分母の金額を限度）}}{\text{保険金等の額} - \text{滅失経費の額}}$$

(3) 取崩し（法48②③、令90）

特別勘定を有する内国法人は、代替資産を取得等した場合又は取得指定期間が経過する場合等には、その特別勘定の金額のうち一定の金額を取り崩し、その事業年度の益金の額に算入する。

２．特別勘定設定後の圧縮記帳　重要度◎

(1) 損金算入（法49①）

特別勘定を有する内国法人が、取得指定期間内に代替資産の取得等をした場合において、その代替資産につき、圧縮限度額の範囲内で一定の経理をしたときは、その経理した金額は、その事業年度の損金の額に算入する。

(2) 圧縮限度額（令91）

$$\text{保険差益金の額} \times \frac{\text{代替資産の取得等に充てた保険金等の額（分母の金額を限度）}}{\text{保険金等の額} - \text{滅失経費の額}}$$

（注）$\text{保険差益金の額} = \left\{ \text{保険金等の額} - \text{滅失経費の額} \right\} - \text{被災資産の被害直前の帳簿価額のうち被害部分相当額}$

(3) 経理方法（法49①、令86）

① 帳簿価額を損金経理により減額する方法

② 確定した決算において積立金として積み立てる方法

③ 決算確定の日までに剰余金の処分により積立金として積み立てる方法

(4) 取得価額等（令91の２、令93）

① 圧縮記帳の適用を受けた場合には、圧縮による損金算入額は、その固定資産の取得価額に算入しない。

② 圧縮記帳の適用を受ける資産については、その帳簿価額として最低１円以上の金額を付さなければならない。

３．申告要件（法48④⑤、法49②③）　重要度△

上記１．２．の規定は、確定申告書に特別勘定又は圧縮額の損金算入に関する明細の記載がある場合に限り適用する。ただし、税務署長による宥恕がある。

9−5 交換の圧縮記帳

1．圧縮記帳

重要度◎

(1) 損金算入（法50①②）

内国法人（清算中のものを除く。）が、次の要件を満たす場合において、その取得資産につき、圧縮限度額の範囲内でその帳簿価額を損金経理により減額したときは、その減額した金額は、その事業年度の損金の額に算入する。

① 互いに１年以上所有していた固定資産を交換したこと。

② 取得資産は相手先が交換のために取得したと認められるものでないこと。

③ 取得資産と譲渡資産は次の５区分において同一区分であること。

イ　土　地（建物又は構築物の所有を目的とする地上権及び賃借権等を含む。）

ロ　建　物（これに附属する設備及び構築物を含む。）

ハ　機械及び装置

ニ　船　舶

ホ　鉱業権（租鉱権、採石権等の権利を含む。）

④ 取得資産を譲渡資産の譲渡直前の用途と同一の用途に供したこと。

⑤ 交換の時における取得資産の価額と譲渡資産の価額との差額がこれらの価額のうちいずれか多い価額の20%相当額を超えないこと。

(2) 圧縮限度額（法50①、令92）

① 交換差金等のない場合

$$\text{取得資産の価額(A)} - \left\{\text{譲渡資産の譲渡直前の帳簿価額(B)} + \text{譲渡経費の額(C)}\right\}$$

② 交換差金等を取得した場合

$$(A) - \left\{((B)+(C)) \times \frac{(A)}{(A)+\text{交換差金等の額}}\right\}$$

③ 交換差金等を交付した場合

$$(A) - ((B)+(C)+\text{交換差金等の額})$$

（注）交換差金等とは、交換の時における取得資産と譲渡資産の価額の差額を補うために交付される金銭その他の資産をいう。

(3) 取得価額等（令92の２、令93）

① 圧縮記帳の適用を受けた場合には、圧縮による損金算入額は、その固定資産の取得価額に算入しない。

② 圧縮記帳の適用を受ける資産については、その帳簿価額として最低１円以上の金額を付さなければならない。

２．申告要件（法50③④）

重要度△

上記１．の規定は、確定申告書に圧縮額の損金算入に関する明細の記載がある場合に限り適用する。ただし、税務署長による宥恕がある。

9−6 特定資産の買換えの圧縮記帳

1．圧縮記帳　重要度◎

(1) 損金算入（措法65の7①）

法人（清算中のものを除く。）が、次の要件を満たす場合において、その買換資産につき、圧縮限度額の範囲内で一定の経理をしたときは、その経理した金額は、その事業年度の損金の額に算入する。

① その有する特定の譲渡資産（棚卸資産を除く。）を譲渡したこと。

② その譲渡の日を含む事業年度に特定の買換資産を取得（所有権移転外リース取引による取得を除く。）したこと。

③ その取得の日から1年以内にその買換資産を事業の用に供した、又は供する見込みであること。

(2) 圧縮限度額（措法65の7①⑯）

圧縮基礎取得価額×差益割合×80%

（注1）圧縮基礎取得価額とは、次のいずれか少ない金額をいう。

イ 買換資産の取得価額

ロ 譲渡資産の譲渡対価の額

（注2）差益割合＝$\dfrac{\text{(A)} - \text{(譲渡資産の譲渡直前の帳簿価額 + 譲渡経費の額)}}{\text{譲渡資産の譲渡対価の額 (A)}}$

(3) 経理方法（措法65の7①）

① 帳簿価額を損金経理により減額する方法

② 確定した決算において積立金として積み立てる方法

③ 決算確定の日までに剰余金の処分により積立金として積み立てる方法

(4) 取得価額（措法65の7⑧）

圧縮記帳の適用を受けた場合には、圧縮による損金算入額は、その固定資産の取得価額に算入しない。

(5) 面積制限（措法65の7②、措令39の7）

買換資産である土地等のうち、譲渡資産である土地等の面積の原則として5倍を超える部分の面積に対応するものは、買換資産に該当しないものとする。

(6) 取崩し（措法65の7④）

(1)の適用を受けた法人が、買換資産を取得の日から1年以内に事業の用に供しない場合等には、(1)の損金算入額は、取得の日から1年を経過する日等を含む事業年度の益金の額に算入する。

(7) **先行取得**（措法65の７③）

次の要件を満たすときは、一定の届出を要件に圧縮記帳を行うことができる。

① 特定の譲渡資産の譲渡事業年度開始の日前１年以内に特定の買換資産を取得したこと。

② 取得の日から１年以内にその買換資産を事業の用に供した、又は供する見込みであること。

２．申告要件（措法65の７⑤⑥）　重要度△

上記１．の規定は、確定申告書等に圧縮額の損金算入に関する申告の記載があり、かつ、その明細書及びその証明書類等の添付がある場合に限り適用する。ただし、税務署長による宥恕がある。

9−7 特定資産の買換えの特別勘定等

1. 特別勘定　重要度◎

(1) 損金算入（措法65の８①）

法人（清算中のものを除く。）が、次の要件を満たす場合において、その事業年度の確定した決算において特別勘定を設ける方法（決算確定の日までに剰余金の処分により積立金として積み立てる方法を含む。）により経理したときは、その経理した金額は、その事業年度の損金の額に算入する。

① その有する特定の譲渡資産（棚卸資産を除く。）を譲渡したこと。

② 取得指定期間内に特定の買換資産を取得（所有権移転外リース取引による取得を除く。）する見込みであること。

③ 取得の日から１年以内に買換資産を事業の用に供する見込みであること。

(2) 繰入限度額（措法65の８①）

譲渡資産の譲渡対価の額のうち買換資産の取得に充てようとする額 ×差益割合×80%

(3) 取崩し（措法65の８⑨〜⑫）

特別勘定を有する法人は、買換資産を取得した場合又は取得指定期間が経過する場合等には、その特別勘定の金額のうち一定の金額を取り崩し、その事業年度の益金の額に算入する。

2. 特別勘定設定後の圧縮記帳　重要度◎

(1) 損金算入（措法65の８⑦）

特別勘定を有する法人が、次の要件を満たす場合において、その買換資産につき、圧縮限度額の範囲内で一定の経理をしたときは、その経理した金額は、その事業年度の損金の額に算入する。

① 取得指定期間内に特定の買換資産を取得したこと。

② 取得の日から１年以内に買換資産を事業の用に供した、又は供する見込みであること。

(2) 圧縮限度額（措法65の８⑦）

圧縮基礎取得価額×差益割合×80％

（注１）圧縮基礎取得価額とは、次のいずれか少ない金額をいう。

① 買換資産の取得価額

② 譲渡資産の譲渡対価の額

（注２）$差益割合＝\frac{（A）－（譲渡資産の譲渡直前の帳簿価額＋譲渡経費の額）}{譲渡資産の譲渡対価の額（A）}$

(3) 経理方法（措法65の８⑦）

① 帳簿価額を損金経理により減額する方法

② 確定した決算において積立金として積み立てる方法

③ 決算確定の日までに剰余金の処分により積立金として積み立てる方法

(4) 取得価額（措法65の８⑯）

圧縮記帳の適用を受けた場合には、圧縮による損金算入額は、その固定資産の取得価額に算入しない。

(5) 面積制限（措法65の８⑬）

買換資産である土地等のうち、譲渡資産である土地等の面積の原則として５倍を超える部分の面積に対応するものは、買換資産に該当しないものとする。

(6) 取崩し（措法65の８⑭）

(1)の適用を受けた法人が、買換資産を取得の日から１年以内に事業の用に供しない場合等には、(1)の損金算入額は、取得の日から１年を経過する日等を含む事業年度の益金の額に算入する。

３．申告要件（措法65の８⑯）　重要度△

上記１．２．の規定は、確定申告書等に特別勘定又は圧縮額の損金算入に関する申告の記載があり、かつ、その明細書及びその証明書類等の添付がある場合に限り適用する。ただし、税務署長による宥恕がある。

9−8 収用等の圧縮記帳等

1．収用等の圧縮記帳　　重要度◎

(1) 損金算入（措法64①、措令39）

法人（清算中のものを除く。）が、次の要件を満たす場合において、その代替資産につき、圧縮限度額の範囲内で一定の経理をしたときは、その経理した金額は、その事業年度の損金の額に算入する。

① その有する資産（棚卸資産を除く。）が収用等され、対価補償金等を取得すること。

② 収用等のあった日を含む事業年度に対価補償金等をもって代替資産を取得（所有権移転外リース取引による取得を除く。）したこと。

（注）代替資産の範囲は、次のとおりである。

イ　収用等された資産と同種の資産

ロ　２以上の資産で一の効用を有する１組の資産

ハ　減価償却資産、土地（土地の上に存する権利を含む。）

(2) 圧縮限度額（措法64①）

圧縮基礎取得価額×差益割合

（注１）圧縮基礎取得価額とは、次のいずれか少ない金額をいう。

① 代替資産の取得価額

② 差引補償金等の額＝対価補償金の額－（譲渡経費の額－経費補償金の額）

$$（注２）差益割合＝\frac{差引補償金等の額－譲渡資産の譲渡直前の帳簿価額}{差引補償金等の額}$$

(3) 経理方法（措法64①）

① 帳簿価額を損金経理により減額する方法

② 確定した決算において積立金として積み立てる方法

③ 決算確定の日までに剰余金の処分により積立金として積み立てる方法

(4) 取得価額（措法64⑧）

圧縮記帳の適用を受けた場合には、圧縮による損金算入額は、その固定資産の取得価額に算入しない。

(5) 先行取得（措法64③）

収用等のあった日を含む事業年度開始の日から起算して１年前の日からその開始の日の前日までに代替資産となるべき資産を取得したときは、その資産を代替資産とみなして圧縮記帳の適用を受けることができる。

２．収用換地等の所得の特別控除　重要度◎

(1) 損金算入（措法65の２①）

法人（清算中のものを除く。）の有する資産（棚卸資産を除く。）が収用換地等された場合において、次の要件を満たすときは、その超える部分の金額と暦年5,000万円とのいずれか低い金額を、その譲渡の日を含む事業年度の損金の額に算入する。

① その収用換地等により取得した対価補償金等の額又は資産の価額が譲渡資産の譲渡直前の帳簿価額と譲渡経費の額の合計額を超えること。

② その事業年度のうち同一の年中に収用換地等により譲渡した資産のいずれについても圧縮記帳又は特別勘定経理の適用を受けないこと。

(2) 適用除外（措法65の２③）

次の場合には、それぞれの資産について、特別控除の規定は適用しない。

① 公共事業施行者から最初に買取り等の申出のあった日から６月を経過した日までに譲渡されなかった場合 … その資産

② 一の収用換地等に係る事業のための譲渡が２以上の年にわたってされた場合 … 最初の年に譲渡された資産以外の資産

③ 最初に買取り等の申出を受けた者以外の法人から譲渡された場合 … その資産

３．申告要件（措法64⑤⑥、措法65の２④⑤）　重要度△

上記１．２．の規定は、確定申告書等に圧縮額又は特別控除額の損金算入に関する申告の記載があり、かつ、その明細書の添付及びその証明書類等の保存がある場合に限り適用する。ただし、税務署長による宥恕がある。

9−9 収用等の特別勘定等

1．特別勘定　重要度◎

(1) 損金算入（措法64の２①）

法人（清算中のものを除く。）が、次の要件を満たす場合において、その事業年度の確定した決算において特別勘定を設ける方法（決算確定の日までに剰余金の処分により積立金として積み立てる方法を含む。）により経理したときは、その経理した金額は、その事業年度の損金の額に算入する。

① その有する資産（棚卸資産を除く。）が収用等され、対価補償金等を取得すること。

② 取得指定期間内に対価補償金等をもって代替資産を取得（所有権移転外リース取引による取得を除く。）する見込みであること。

(2) 繰入限度額（措法64の２①）

差引補償金等の額のうち代替資産の取得に充てようとする額×差益割合

(3) 取崩し（措法64の２⑨～⑫）

特別勘定を有する法人は、代替資産を取得した場合又は取得指定期間が経過する場合等には、その特別勘定の金額のうち一定の金額を取り崩し、その事業年度の益金の額に算入する。

2．特別勘定設定後の圧縮記帳　重要度◎

(1) 損金算入（措法64の２⑦）

特別勘定を有する法人が、取得指定期間内に対価補償金等をもって代替資産を取得した場合において、その代替資産につき、圧縮限度額の範囲内で一定の経理をしたときは、その経理した金額は、その事業年度の損金の額に算入する。

(2) 圧縮限度額（措法64の２⑦）

圧縮基礎取得価額×差益割合

（注１）圧縮基礎取得価額とは、次のいずれか少ない金額をいう。

① 代替資産の取得価額

② 差引補償金等の額＝対価補償金の額－（譲渡経費の額－経費補償金の額）

（注２）差益割合＝$\dfrac{\text{差引補償金等の額－譲渡資産の譲渡直前の帳簿価額}}{\text{差引補償金等の額}}$

(3) 経理方法（措法64の2⑦）

① 帳簿価額を損金経理により減額する方法

② 確定した決算において積立金として積み立てる方法

③ 決算確定の日までに剰余金の処分により積立金として積み立てる方法

(4) 取得価額（措法64の2⑭）

圧縮記帳の適用を受けた場合には、圧縮による損金算入額は、その固定資産の取得価額に算入しない。

3．特別勘定設定後の所得の特別控除　重要度◎

(1) 損金算入（措法65の2⑦）

特別勘定を有する法人が代替資産を取得することができなかったこと等により特別勘定の全額を取り崩して益金の額に算入する場合において、譲渡事業年度のうち同一の年中に収用換地等により譲渡した資産の全部につき圧縮記帳の適用を受けていないときは、益金の額に算入した特別勘定の金額と暦年5,000万円とのいずれか低い金額を、その事業年度の損金の額に算入する。

(2) 適用除外（措法65の2⑧）

次の場合には、それぞれの資産については、特別控除の規定は適用しない。

① 公共事業施行者から最初に買取り等の申出のあった日から6月を経過した日までに譲渡されなかった場合 … その資産

② 一の収用換地等に係る事業のための譲渡が2以上の年にわたってされた場合 … 最初の年に譲渡された資産以外の資産

③ 最初に買取り等の申出を受けた者以外の法人から譲渡された場合 … その資産

4．申告要件（措法64の2⑬、措法65の2⑧）　重要度△

上記1．～3．の規定は、確定申告書等に特別勘定、圧縮額又は特別控除額の損金算入に関する申告の記載があり、かつ、その明細書の添付及びその証明書類等の保存がある場合に限り適用する。ただし、税務署長による宥恕がある。

9-10 換地処分等の圧縮記帳等

1. 換地処分等の圧縮記帳　重要度◎

(1) 損金算入（措法65①）

法人が、その有する資産の換地処分等により、同種の資産を取得する場合（その資産とともに対価補償金等を取得する場合を含む。）において、その取得資産につき、圧縮限度額の範囲内でその帳簿価額を損金経理により減額したときは、その減額した金額は、その事業年度の損金の額に算入する。

(2) 圧縮限度額（措法65①②、措令39の2）

① 対価補償金等のない場合

取得資産の価額(A) －｛譲渡資産の譲渡直前の帳簿価額(B) ＋ 譲渡経費の額(C)｝

② 対価補償金等を取得した場合

$$(A) - \left\{ \left((B) + (C) \right) \times \frac{(A)}{(A) + \text{対価補償金等の額}} \right\}$$

③ 差金を支出した場合

(A)－（(B)＋(C)＋支出した金額）

(3) 取得価額（措法65⑫）

圧縮記帳の適用を受けた場合には、圧縮による損金算入額は、その固定資産の取得価額に算入しない。

(4) 補償金等の取扱い（措法65③）

(1)の場合に、資産とともに取得した対価補償金等をもって代替資産を取得（所有権移転外リース取引による取得を除く。）した、又は取得する見込みであるときは、対価補償金等部分につき、収用等の圧縮記帳又は特別勘定経理の適用がある。

2．収用換地等の所得の特別控除　重要度◎

(1) **損金算入**（措法65の２①）

法人（清算中のものを除く。）の有する資産（棚卸資産を除く。）が収用換地等された場合において、次の要件を満たすときは、その超える部分の金額と暦年5,000万円とのいずれか低い金額を、その譲渡の日を含む事業年度の損金の額に算入する。

① その収用換地等により取得した対価補償金等の額又は資産の価額が譲渡資産の譲渡直前の帳簿価額と譲渡経費の額の合計額を超えること。

② その事業年度のうち同一の年中に収用換地等により譲渡した資産のいずれについても圧縮記帳又は特別勘定経理の適用を受けないこと。

(2) **適用除外**（措法65の２③）

次の場合には、それぞれの資産について、特別控除の規定は適用しない。

① 公共事業施行者から最初に買取り等の申出のあった日から６月を経過した日までに譲渡されなかった場合 … その資産

② 一の収用換地等に係る事業のための譲渡が２以上の年にわたってされた場合 … 最初の年に譲渡された資産以外の資産

③ 最初に買取り等の申出を受けた者以外の法人から譲渡された場合 … その資産

3．申告要件（措法65④、措法65の２④⑤）　重要度△

上記１．２．の規定は、確定申告書等に圧縮額又は特別控除額の損金算入に関する申告の記載があり、かつ、その明細書の添付及びその証明書類等の保存がある場合に限り適用する。ただし、税務署長による宥恕がある。

(MEMO)

テーマ

10

引　当　金　等

10−1 貸倒引当金

1．個別評価

重要度◎

(1) **損金算入**（法52①）

下記3.の内国法人が、個別評価金銭債権の損失の見込額として、各事業年度において損金経理により貸倒引当金勘定に繰り入れた金額については、その金額のうち、個別貸倒引当金繰入限度額に達するまでの金額は、その事業年度の損金の額に算入する。

(2) **繰入限度額**（令96）

次の事実に応じそれぞれの金額とする。

① 更生計画認可の決定等の事由に基づいて弁済が猶予又は賦払弁済とされること
… 金銭債権の額のうち、その事由が生じた事業年度終了の日の翌日から5年を経過する日までに弁済される金額以外の金額

② 債務超過の状態が相当期間継続し、かつ、事業好転の見通しがないこと等により、金銭債権の一部につき取立て等の見込みがないと認められること
… その一部の金額相当額

③ 更生手続開始の申立て等の事由が生じていること
… その金銭債権の額の50%相当額

④ 金銭債権に係る債務者である外国政府等の長期にわたる債務の履行遅滞によりその金銭債権の経済的な価値が著しく減少し、かつ、弁済を受けることが著しく困難であると認められること
… その金銭債権の額の50%相当額

2．一括評価

重要度◎

(1) **損金算入**（法52②）

下記3.の内国法人が、一括評価金銭債権の貸倒れによる損失の見込額として、各事業年度において損金経理により貸倒引当金勘定に繰り入れた金額については、その金額のうち、一括貸倒引当金繰入限度額に達するまでの金額は、その事業年度の損金の額に算入する。

(2) **繰入限度額**（令96、措法57の9）

その事業年度終了の時に有する一括評価金銭債権の帳簿価額の合計額に貸倒実績率を乗じて計算した金額とする。

（注）下記3.(1)の法人は、法定繰入率による一括貸倒引当金繰入限度額の計算ができる。

3．適用対象法人（法52①）

重要度◎

上記１．２．の規定は、次の内国法人に適用がある。

(1) 普通法人のうち期末資本金の額が１億円以下であるもの（期末に大法人による完全支配関係がある普通法人その他一定の普通法人を除く。）その他一定の法人

(2) 銀行、保険会社、これらに準ずる内国法人

(3) 売買とされるリース取引のリース資産の対価の額に係る金銭債権を有する内国法人等

(注) 大法人とは、資本金の額が５億円以上である法人等をいう。

4．申告要件（法52③④）

重要度△

上記１．及び２．の規定は、確定申告書に繰入額の損金算入に関する明細の記載がある場合に限り適用する。ただし、税務署長による宥恕がある。

5．益金算入（法52⑩）

重要度○

各事業年度の損金の額に算入された貸倒引当金勘定の金額は、その事業年度の翌事業年度の益金の額に算入する。

6．金銭債権に含まないもの（法52⑨）

重要度○

個別評価金銭債権及び一括評価金銭債権には、次のものを含まない。

(1) 上記３．(3)の法人が有するリース取引の対価に係る金銭債権以外の債権

(2) 完全支配関係がある他の法人に対して有する金銭債権

プラスα　その他一定の普通法人（法66⑤）

普通法人との間に完全支配関係がある全ての大法人が有する株式等の全部をそのうちいずれか一の大法人が有するものとみなした場合にその大法人による完全支配関係があるときのその普通法人

参考　その他一定の法人（法52①）

(1) 普通法人のうち資本又は出資を有しないもの
(2) 公益法人等又は協同組合等
(3) 人格のない社団等

参考　貸倒損失に関する通達

1．金銭債権の全部又は一部の切捨てをした場合の貸倒れ（基通９－６－１）

法人の有する金銭債権について次に掲げる事実が発生した場合には、その金銭債権の額のうち次に掲げる金額は、その事実の発生した日の属する事業年度において貸倒れとして損金の額に算入する。

(1) 更生計画認可の決定又は再生計画認可の決定があった場合
　これらの決定により切り捨てられることとなった部分の金額
(2) 特別清算に係る協定の認可の決定があった場合
　この決定により切り捨てられることとなった部分の金額
(3) 法令の規定による整理手続によらない関係者の協議決定で次に掲げるものにより切り捨てられることとなった部分の金額
① 債権者集会の協議決定で合理的な基準により債務者の負債整理を定めているもの
② 行政機関又は金融機関その他の第三者のあっせんによる当事者間の協議により締結された契約でその内容が①に準ずるもの
(4) 債務者の債務超過の状態が相当期間継続し、その金銭債権の弁済を受けることができないと認められる場合
　その債務者に対し書面により明らかにされた債務免除額

2．回収不能の金銭債権の貸倒れ（基通9－6－2）

法人の有する金銭債権につき、その債務者の資産状況、支払能力等からみてその全額が回収できないことが明らかになった場合には、その明らかになった事業年度において貸倒れとして損金経理をすることができる。この場合において、当該金銭債権について担保物があるときは、その担保物を処分した後でなければ貸倒れとして損金経理をすることはできないものとする。

（注）　保証債務は、現実にこれを履行した後でなければ貸倒れの対象にすることはできないことに留意する。

3．一定期間取引停止後弁済がない場合等の貸倒れ（基通9－6－3）

債務者について次に掲げる事実が発生した場合には、その債務者に対して有する売掛債権（売掛金、未収請負金その他これらに準ずる債権をいい、貸付金その他これに準ずる債権を含まない。以下9－6－3において同じ。）について法人が当該売掛債権の額から備忘価額を控除した残額を貸倒れとして損金経理をしたときは、これを認める。

(1)　債務者との取引を停止した時（最後の弁済期又は最後の弁済の時が当該停止をした時以後である場合には、これらのうち最も遅い時）以後1年以上経過した場合（当該売掛債権について担保物のある場合を除く。）

(2)　法人が同一地域の債務者について有する当該売掛債権の総額がその取立てのために要する旅費その他の費用に満たない場合において、当該債務者に対し支払を督促したにもかかわらず弁済がないとき

（注）　(1)の取引停止は、継続的な取引を行っていた債務者につきその資産状況、支払能力等が悪化したためその後の取引を停止するに至った場合をいう。したがって、例えば不動産取引のようにたまたま取引を行った債務者に対して有する当該取引に係る売掛債権については、この取扱いの適用はない。

10−2 海外投資等損失準備金

1．海外投資等損失準備金（措法55①）　重要度◎

(1) **損金算入**

青色申告書を提出する内国法人が、特定法人の特定株式等の取得をし、かつ、その取得の日を含む事業年度終了の日まで引き続き有している場合において、その特定株式等の価格の低落による損失に備えるため、積立限度額以下の金額を損金経理の方法により海外投資等損失準備金として積み立てたとき（その事業年度の決算確定の日までに剰余金の処分により積立金として積み立てた場合を含む。）は、その積み立てた金額はその事業年度の損金の額に算入する。

(2) **積立限度額**

特定株式等の取得価額 × 積立割合

2．申告要件（措法55⑦）　重要度△

上記1.の規定は、確定申告書等に積立額の損金算入に関する申告の記載及び明細書等の添付がある場合に限り適用する。

3．益金算入（措法55③④）　重要度○

前事業年度から繰り越された据置期間経過準備金額がある場合には、積立事業年度別に区分した各金額ごとに、次により計算した金額をその事業年度の益金の額に算入する。

$$\text{海外投資等損失準備金の損金算入額} \times \frac{\text{その事業年度の月数}}{60}$$

（注）据置期間経過準備金額とは、海外投資等損失準備金の金額のうち積立事業年度終了の日の翌日から5年を経過したものをいう。

テーマ

11

借地権等

借地権等の設定、更新

1．借地権等の設定対価

重要度◎

(1) 借地権等の設定（法22②③、令137）

内国法人が借地権又は地役権の設定により他人に土地を使用させる場合において、その使用の対価として通常権利金を収受する取引上の慣行があるときは、次のように取り扱う。

① 原　則

イ　通常収受すべき権利金を収受する場合

収受する権利金の額をその事業年度の益金の額に算入する。

ロ　権利金を収受しない場合又は少額である場合

通常収受すべき権利金の額をその事業年度の益金の額に算入し、通常収受すべき権利金の額と収受する権利金の額との差額は寄附金又は給与等として取り扱う。

② 相当の地代

権利金の収受に代え、その土地の価額（通常収受すべき権利金に満たない金額を権利金として収受している場合には、その土地の価額からその収受した金額を控除した金額。）に照らしその使用の対価として相当の地代を収受しているときは、その土地の使用に係る取引は正常な取引条件でされたものとして各事業年度の所得の金額を計算するものとする。

(2) 土地簿価の一部損金算入（令138）

内国法人が借地権又は地役権の設定により他人に土地を使用させる場合において、土地の減価割合が5/10以上となるときは、次の金額をその設定日の属する事業年度の損金の額に算入する。

$$損金算入額=設定直前の土地の帳簿価額\times\frac{借地権等の価額}{設定直前の土地の価額}$$

2．更新料の支払い（令139）

重要度○

内国法人がその有する借地権又は地役権の存続期間の更新をする場合において、更新料の支払をしたときは、次の金額をその更新のあった日の属する事業年度の損金の額に算入する。この場合、その更新料の額はその借地権又は地役権の帳簿価額に加算する。

$$\text{更新直前の借地権等の帳簿価額} \times \frac{\text{更新料の額}}{\text{更新時の借地権等の価額}}$$

参考　土地の減価割合

$$\text{土地の減価割合} = \frac{\text{（A）－設定直後の土地の価額}}{\text{設定直前の土地の価額（A）}}$$

プラスα　特別の経済的利益（令138）

上記１．(2)の場合に、その設定に伴い通常の場合に比し特に有利な条件による金銭の貸付けその他特別の経済的な利益を受けるときは、その特別の経済的な利益の額をその対価の額に加算した金額をもって、その対価として支払を受ける金額とする。

11−2　リース取引に係る所得の金額の計算

1．売買とするもの（法64の２①、令131の２）　重要度◎

(1) 内　容

内国法人がリース取引を行った場合には、そのリース取引の目的となる資産（以下「リース資産」という。）の賃貸人から賃借人への引渡しの時にそのリース資産の売買があったものとして、その賃貸人又は賃借人である内国法人の各事業年度の所得の金額を計算する。

(2) 損金経理額

リース資産につき、その賃借人が賃借料として損金経理をした金額は、償却費として損金経理をした金額に含まれるものとする。

2．金融取引とするもの（法64の２②、令131の２）　重要度○

(1) 内　容

内国法人が譲受人から譲渡人に対する賃貸（リース取引に該当するものに限る。）を条件に資産の売買を行った場合において、その資産の種類等に照らし、これら一連の取引が実質的に金銭の貸借であると認められるときは、その資産の売買はなかったものとし、かつ、その譲受人からその譲渡人に対する金銭の貸付けがあったものとして、その譲受人又は譲渡人である内国法人の各事業年度の所得の金額を計算する。

(2) 損金経理額

(1)の賃貸に係る資産につき、譲渡人が賃借料として損金経理をした金額は、償却費として損金経理をした金額に含まれるものとする。

3．リース取引の意義（法64の２③）　重要度◎

資産の賃貸借（所有権が移転しない土地の賃貸借等を除く。）で、次の要件に該当するものをいう。

(1) その賃貸借に係る契約が、賃貸借期間の中途においてその解除をすることができないものであること又はこれに準ずるものであること。

(2) その賃貸借に係る賃借人がその賃貸借に係る資産からもたらされる経済的な利益を実質的に享受することができ、かつ、その資産の使用に伴って生ずる費用を実質的に負担すべきこととされているものであること。

プラスα　賃借人と賃貸人の課税関係

1．賃借人の取扱い（減価償却）

(1) 所有権移転外リース取引

① 所有権移転外リース取引の意義（令48の2）

上記3．のリース取引のうち、次のいずれかに該当するもの（これらに準ずるものを含む。）以外のものをいう。

イ　リース期間終了時又はリース期間の中途において、目的資産が無償又は名目的な対価の額でその賃借人に譲渡されるもの。

ロ　その賃借人に対し、リース期間終了時又はリース期間の中途において、目的資産を著しく有利な価額で買い取る権利が与えられているもの。

ハ　目的資産の種類等に照らし、目的資産がその使用可能期間中その賃借人によってのみ使用されると見込まれるもの又は目的資産の識別が困難であると認められるもの。

ニ　リース期間が目的資産の耐用年数に比して相当短いもの（その賃借人の税負担を著しく軽減することになると認められるものに限る。）。

② ①に係る償却方法（令48の2）

所有権移転外リース取引に係る賃借人が取得したものとされる減価償却資産の償却方法は、リース期間定額法による。

(2) 所有権移転外リース取引以外のリース取引（令48の2等）

① (1)以外のリース取引

(1)①イ～ニのいずれかに該当するリース取引をいう。

② ①に係る償却方法

テーマ6（資産評価及び償却費等）6－11 参照。

2．賃貸人の取扱い（リース譲渡）

テーマ4（損益の帰属時期の特例）4－1 参照。

参考　相当短いものの意義（基通7－6の2－7）

「リース期間が目的資産の耐用年数に比して相当短いもの」とは、次のものをいう。

(1) 耐用年数が10年未満のもの … リース期間＜耐用年数の70％（注）

(2) 耐用年数が10年以上のもの … リース期間＜耐用年数の60％（注）

（注）1年未満の端数があるときは切り捨てる。

(MEMO)

テーマ

12

欠 損 金 等

12−1 欠損金の繰越控除

1. 欠損金の繰越し　重要度◎

(1) 内　容（法57①⑪）

① 内国法人の各事業年度開始の日前10年以内に開始した事業年度において生じた欠損金額（この規定により既に損金の額に算入されたもの及び欠損金の繰戻し還付の計算の基礎となったものを除く。）がある場合には、その欠損金額は、その各事業年度の損金の額に算入する。

② 損金算入限度額

損金算入額は、次のそれぞれの金額を限度とする。

イ　ロ以外の法人 … この規定の適用前の所得金額の50%相当額

ロ　次に掲げる法人 … この規定の適用前の所得金額相当額

(ｲ) 中小法人等

(ﾛ) 中小法人等以外の法人の次の日の属する事業年度（株式が上場された日等以後に終了する事業年度を除く。）

a　更生手続開始の決定、再生手続開始の決定等の日から更生計画認可の決定、再生計画認可の決定等の日以後７年を経過する日までの期間内の日

b　設立の日から同日以後７年を経過する日までの期間内の日（期末に大法人による完全支配関係がある普通法人その他一定の普通法人、株式移転完全親法人は適用なし。）

(2) 手　続（法57⑩）

(1)の規定は、欠損金額の生じた事業年度について確定申告書を提出し、かつ、その後において連続して確定申告書を提出している場合で欠損金額の生じた事業年度に係る帳簿書類を保存している場合に限り適用する。

2. 青色申告書を提出しなかった事業年度の欠損金の特例　重要度△

(1) 内　容（法58①等）

内国法人の各事業年度開始の日前10年以内に開始した事業年度のうち青色申告書を提出する事業年度でない事業年度において生じた欠損金額に係る上記1.の適用については、その欠損金額のうち、棚卸資産、固定資産又は一定の繰延資産について災害により生じた損失の額（以下「災害損失金額」という。）を超える部分の金額は、ないものとする。

(2) 手　続（法58③）

欠損金額の生じた事業年度の確定申告書、修正申告書又は更正請求書に災害損失金額の計算に関する明細を記載した書類の添付がない場合には、その事業年度の災害損失金額はないものとする。

3．債務免除等があった場合（法57⑤）　重要度△

欠損金額のうち債務免除等があった場合の欠損金の損金算入の規定により損金の額に算入される金額として一定の金額は、ないものとする。

4．欠損金額の意義（法２十九）　重要度◎

各事業年度の所得の金額の計算上その事業年度の損金の額がその事業年度の益金の額を超える場合におけるその超える部分の金額をいう。

参考　中小法人等（法57⑪）

(1) 普通法人のうち期末資本金の額が１億円以下であるもの（期末に大法人による完全支配関係がある普通法人その他一定の普通法人を除く。）
(2) 普通法人のうち資本又は出資を有しないもの
(3) 公益法人等又は協同組合等
(4) 人格のない社団等

プラスα　その他一定の普通法人（法66⑤）

普通法人との間に完全支配関係がある全ての大法人が有する株式等の全部をそのうちいずれか一の大法人が有するものとみなした場合にその大法人による完全支配関係があるときのその普通法人

債務免除等があった場合の欠損金

1．会社更生法等（法59①）　重要度◎

内国法人について更生手続開始の決定があった場合において、その内国法人が次の場合に該当するときは、その該当することとなった日の属する事業年度前の各事業年度に生じた一定の欠損金額のうち次の金額の合計額に達するまでの金額は、その事業年度の損金の額に算入する。

(1) 債権者から債務免除を受けた場合等
　… 債務免除を受けた金額等

(2) その内国法人の役員等から金銭等の贈与を受けた場合
　… 贈与を受けた金銭の額及び金銭以外の資産の価額

(3) 会社更生法等に従って資産の評価換えをした場合
　… 評価換えによる益金算入額（評価換えによる損金算入額を控除した金額。）

2．民事再生法等（法59②③）　重要度◎

(1) 内国法人について再生手続開始の決定等があった場合において、再生計画認可の決定等に係る評価損益の適用を受けるときは、その適用を受ける事業年度前に生じた一定の欠損金額のうち次の金額の合計額に達するまでの金額は、その事業年度の損金の額に算入する。

① 債権者から債務免除を受けた場合等
　… 債務免除を受けた金額等

② その内国法人の役員等から金銭等の贈与を受けた場合
　… 贈与を受けた金銭の額及び金銭以外の資産の価額

③ 再生計画認可の決定等に係る評価損益の適用を受ける場合
　… 益金算入額から損金算入額を減算した金額

ただし、損金算入額は欠損金の繰越控除及びこの規定の適用前の所得金額を限度とする。

(2) 内国法人について再生手続開始の決定等が生じた場合（再生計画認可の決定等に係る評価損益の適用を受ける場合を除く。）において、次の場合に該当するときは、その該当日の属する事業年度前に生じた一定の欠損金額のうち次の金額の合計額に達するまでの金額は、その事業年度の損金の額に算入する。

① 債権者から債務免除を受けた場合等
　… 債務免除を受けた金額等

② その内国法人の役員等から金銭等の贈与を受けた場合
　… 贈与を受けた金銭の額及び金銭以外の資産の価額

ただし、損金算入額はこの規定の適用前の所得金額を限度とする。

３．解　散（法59④）

重要度◎

内国法人が解散した場合において、残余財産がないと見込まれるときは、その清算中に終了する事業年度（以下「適用年度」という。）前の各事業年度において生じた一定の欠損金額は、その適用年度の損金の額に算入する。

ただし、損金算入額はこの規定の適用前の所得金額を限度とする。

４．手　続（法59⑥⑦）

重要度△

上記１．～３．の規定は、確定申告書、修正申告書又は更正請求書に損金算入額の計算に関する明細を記載した書類及び一定書類の添付がある場合に限り適用する。ただし、書類の添付については税務署長による宥恕がある。

５．欠損金額の意義（法２十九）

重要度◎

各事業年度の所得の金額の計算上その事業年度の損金の額がその事業年度の益金の額を超える場合におけるその超える部分の金額をいう。

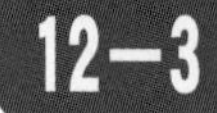

12−3 欠損金の繰戻し還付

1．繰戻し還付　重要度◎

(1) **還付請求**（法80①）

内国法人の青色申告書である確定申告書を提出する事業年度において生じた欠損金額がある場合には、その内国法人は、その確定申告書の提出と同時に、納税地の所轄税務署長に対し、次の法人税額の還付を請求することができる。

$$\text{還付所得事業年度の法人税額} \times \frac{\text{欠損事業年度の欠損金額}}{\text{還付所得事業年度の所得金額}}$$

（注）還付所得事業年度とは、欠損事業年度開始の日前１年以内に開始したいずれかの事業年度をいう。

(2) **手　続**（法80③）

(1)の規定は、還付所得事業年度から欠損事業年度の前事業年度まで連続して青色申告書である確定申告書を提出し、欠損事業年度の青色申告書である確定申告書をその提出期限までに提出した場合に限り適用する。

(3) **還付請求書**（法80⑨）

(1)の還付請求をしようとする内国法人は、その還付を受けようとする法人税額等を記載した還付請求書を納税地の所轄税務署長に提出しなければならない。

(4) **適用停止**（措法66の12①）

(1)の規定は、次の法人以外の法人の各事業年度に生じた欠損金額については、適用しない。ただし、解散事業年度等の欠損金額については、この限りでない。

① 期末資本金の額が１億円以下である普通法人（期末に大法人による完全支配関係がある普通法人その他一定の普通法人を除く。）

（注）大法人とは、資本金の額が５億円以上である法人等をいう。

② その他一定の法人

2．還付金等の益金不算入（法26①）　重要度○

上記１.による還付金の還付を受け、又はその還付を受けるべき金額を未納の国税等に充当される場合には、その還付を受け又は充当される金額は、各事業年度の益金の額に算入しない。

3. 欠損金額の意義（法２十九）

重要度◎

各事業年度の所得の金額の計算上その事業年度の損金の額がその事業年度の益金の額を超える場合におけるその超える部分の金額をいう。

プラスα　その他一定の普通法人（法66⑤）

普通法人との間に完全支配関係がある全ての大法人が有する株式等の全部をそのうちいずれか一の大法人が有するものとみなした場合にその大法人による完全支配関係があるときのその普通法人

参考　その他一定の法人（措法66の12①）

(1) 普通法人のうち資本又は出資を有しないもの
(2) 公益法人等又は協同組合等
(3) 法人税法以外の法律によって公益法人等とみなされている一定のもの
(4) 人格のない社団等

12−4 欠損等法人

1．欠損金の繰越しの不適用（法57の２①）　重要度◎

欠損等法人が、支配日以後５年を経過した日の前日までに一定の事由に該当する場合には、その該当することとなった日の属する事業年度（以下「適用事業年度」という。）前に生じた欠損金額については、青色欠損金の繰越しの規定は適用しない。

2．資産の譲渡等損失額の損金不算入（法60の３）　重要度◎

欠損等法人の、適用事業年度開始の日から次のいずれか早い日までの期間において生ずる特定資産の譲渡等損失額は、その欠損等法人の各事業年度の損金の額に算入しない。

(1) 適用事業年度開始の日以後３年を経過する日

(2) 支配日以後５年を経過する日

3．用語の意義（法２十九、法57の２①）　重要度◎

(1) 欠損等法人

内国法人で他の者との間に当該他の者による特定支配関係を有することとなったもののうち、特定支配事業年度（その特定支配関係を有することとなった日の属する事業年度）において、その特定支配事業年度前の各事業年度に生じた欠損金額又は評価損資産を有するものをいう。

(2) 特定支配関係

他の者がその内国法人の発行済株式等の50%超を保有する関係その他の一定の関係をいう。

(3) 支配日

特定支配関係を有することとなった日をいう。

(4) 欠損金額

各事業年度の所得の金額の計算上その事業年度の損金の額がその事業年度の益金の額を超える場合におけるその超える部分の金額をいう。

プラスα　一定の事由（法57の２①）

(1) 欠損等法人が、支配日の直前に事業を営んでいない場合（清算中の場合を含む。）において、その支配日以後に事業を開始（継続を含む。）すること。
(2) 欠損等法人が、次の要件を満たすこと。
　① 支配日の直前に営む事業（旧事業）の全てをその支配日以後に廃止（廃止見込みを含む。）すること。
　② 旧事業の支配日直前の事業規模のおおむね５倍を超える資金借入れ等を行うこと。
(3) (1)又は(2)①の場合において、その欠損等法人が自己を被合併法人とする適格合併を行い又はその欠損等法人（他の内国法人との間に当該他の内国法人による完全支配関係があるものに限る。）の残余財産が確定すること。
(4) 欠損等法人が、次の要件を満たすこと。
　① 特定支配関係を有することとなったことに基因して、その欠損等法人の支配日直前の役員（社長その他一定のものに限る。）の全てが退任等をすること。
　② その支配日直前の欠損等法人の使用人（旧使用人）のおおむね20％以上に相当する者がその欠損等法人の使用人でなくなること。
　③ 欠損等法人の非従事事業（旧使用人が支配日以後その業務に実質的に従事しない事業をいう。）の事業規模が、旧事業の支配日直前の事業規模のおおむね５倍を超えることとなること。
(5) その他一定の事由

参考　特定資産（令118の３）

欠損等法人が支配事業年度開始日に有していた次の資産等をいう。

(1) 資産の種類
　① 固定資産
　② 棚卸資産に該当する土地等
　③ 有価証券
　④ 金銭債権
　⑤ 繰延資産

(2) 適用除外
　① 売買目的有価証券
　② 償還有価証券
　③ 含み損益が次の金額に満たない資産
　　資本金等の額×１／２
　　1,000万円
　　｝（少）

（注）含み損益 … 支配事業年度開始日における時価と簿価との差額をいう。

(MEMO)

テーマ

13

海 外 取 引

13−1 国外関連者に係る課税の特例

1．国外関連取引（措法66の4①④）　重要度◎

(1) 内　容

法人が国外関連者との間で国外関連取引を行った場合に、その法人が国外関連者から支払を受ける対価の額が独立企業間価格に満たないとき、又はその法人が国外関連者に支払う対価の額が独立企業間価格を超えるときは、その事業年度の所得の金額の計算上、その国外関連取引は、独立企業間価格で行われたものとみなす。

(2) 損金不算入

国外関連取引の対価の額と独立企業間価格との差額は、各事業年度の損金の額に算入しない。

2．国外関連者の意義（措法66の4①、措令39の12）　重要度◎

外国法人で次のいずれかの関係にあるものをいう。

(1) 一方の法人が他方の法人の発行済株式等（自己株式等を除く。）の50%以上を直接又は間接に保有する関係
(2) 二の法人が同一の者にそれぞれ発行済株式等（自己株式等を除く。）の50%以上を直接又は間接に保有される関係
(3) 一方の法人が他方の法人の事業の方針を実質的に決定できる関係
(4) (1)〜(3)による一定の連鎖関係

3．独立企業間価格（措法66の4②）　重要度○

次のいずれかの方法のうち、その国外関連取引が独立の事業者の間で通常の取引条件に従って行われるとした場合に支払われるべき対価の額として最も適切な方法により算定した金額をいう。

(1) 独立価格比準法 … 非関連者間での同種、同様の状況下での取引対価の額
(2) 再販売価格基準法 … 買手の再販売価格−その買手の通常利潤の額
(3) 原価基準法 … 売手の取得原価の額＋その売手の通常利潤の額
(4) (1)〜(3)に準ずる方法等

4．国外関連者に対する寄附金（措法66の4③）

重要度◎

法人が支出した寄附金の額のうち国外関連者に対するものは、各事業年度の損金の額に算入しない。

5．みなし国外関連取引（措法66の4⑤）

重要度△

法人が国外関連者との取引を非関連者を通じて行う場合のその法人と非関連者との取引は、その法人の国外関連取引とみなして上記1．の規定を適用する。

6．書類の添付（措法66の4㉕）

重要度△

国外関連者との間で取引を行った場合には、国外関連者の名称等の一定事項を記載した書類を確定申告書に添付しなければならない。

7．更正の請求（措法66の4㉖）

重要度△

上記1．の適用があった場合に、その適用に関する更正の請求（欠損金額が過少であるとき、又は欠損金額の記載がなかったときを除く。）期間は、法定申告期限から7年とする。

8．更正決定（措法66の4㉗）

重要度△

法人が国外関連者との取引を独立企業間価格と異なる対価の額で行った事実に基づく法人税に係る更正決定等は、国税通則法の規定にかかわらず、更正決定に係る法人税の法定申告期限等から7年を経過する日まですることができる。

参考　納税の猶予（措法66の4の2①）

1．納税の猶予

法人が国税庁長官等に対し租税条約に規定する申立てをした場合には、税務署長等は、上記8．の規定により納付すべき法人税の額等を限度として、その申請に基づき、納税の猶予期間に限り、納税を猶予することができる。

ただし、その申請時にその法人税の額以外の国税の滞納がある場合はこの限りでない。

2．猶予期間

納期限から相互協議の合意に基づく更正があった日の翌日から1月を経過する日までの期間をいう。

13－2 国外支配株主等に係る課税の特例

1．損金不算入（措法66の５①）　重要度◎

内国法人が、国外支配株主等又は資金供与者等に負債の利子等を支払う場合において、次の要件を満たすときは、国外支配株主等及び資金供与者等に支払う負債の利子等の額のうち、その超える部分に対応する金額は、その事業年度の損金の額に算入しない。

(1) 国外支配株主等及び資金供与者等に対する負債に係る平均負債残高が、その国外支配株主等の資本持分の３倍を超えること。

(2) 内国法人の総負債に係る平均負債残高が自己資本の額の３倍を超えること。

2．国外支配株主等の意義（措法66の５⑤、措令39の13）　重要度◎

非居住者又は外国法人で次のいずれかの関係にあるものをいう。

(1) 内国法人が発行済株式等（自己株式等を除く。）の50%以上を直接又は間接に保有される関係

(2) 内国法人と外国法人が同一の者にそれぞれ発行済株式等（自己株式等を除く。）の50%以上を直接又は間接に保有される関係

(3) 非居住者又は外国法人が内国法人の事業の方針を実質的に決定できる関係

3．資金供与者等（措法66の５⑤）　重要度△

内国法人に資金を供与する者等として一定の者をいう。

4．過大支払利子税制との関係（措法66の５④）　重要度○

上記１．に規定する超える部分に対応する金額がその事業年度に係る過大支払利子税制に規定する超える部分の金額を下回る場合（当該規定が適用除外となる場合を除く。）には、上記１．の規定は適用しない。

5．倍数の特例（措法66の５③⑧⑨）　重要度△

(1) 上記１．の規定を適用する場合において、国外支配株主等の資本持分及び自己資本の額の３倍に代えて、妥当と認められる倍数を用いることができる。

(2) (1)の規定は、確定申告書等に適用に関する書面を添付し、かつ、一定の資料等を保存している場合に限り適用する。ただし、税務署長による宥恕がある。

（MEMO）

13−3 対象純支払利子等に係る課税の特例

1．損金不算入（措法66の５の２①）　重要度◎

法人の各事業年度において、その法人の**対象純支払利子等の額**がその事業年度の**調整所得金額の20%相当額**を超える場合には、その超える部分の金額は、その事業年度の**損金の額**に算入しない。

2．適用除外（措法66の５の２③④）　重要度○

(1) 内　容

上記１．の規定は、**対象純支払利子等の額**が**2,000万円以下**の場合その他一定の場合には、適用しない。

(2) 申告要件

(1)の規定は、**確定申告書等**に(1)の規定の適用がある旨を記載した書面及びその計算に関する明細書の添付があり、かつ、その計算に関する書類を保存している場合に限り、適用する。ただし、**税務署長による宥恕**がある。

3．過少資本税制との関係（措法66の５の２⑥等）　重要度○

上記１．に規定する**超える部分の金額**がその事業年度に係る**過少資本税制**に規定する**超える部分**に対応する金額以下となる場合には、上記１．の規定は適用しない。

4．超過利子額の損金算入（措法66の５の３①）　重要度◎

法人の**各事業年度開始の日前７年以内に開始**した事業年度において、上記１．の規定により**損金の額**に算入されなかった金額（以下「**超過利子額**」という。）があるときは、その**超過利子額相当額**は、その各事業年度の**調整所得金額の20%相当額**から**対象純支払利子等の額**を控除した残額を限度として、その各事業年度の**損金の額**に算入する。

5．用語の意義（措法66の５の２）

重要度◎

(1) **対象純支払利子等の額**

その事業年度の**対象支払利子等の額**の合計額（以下「**対象支払利子等合計額**」という。）からその事業年度の**控除対象受取利子等合計額**を控除した残額

(2) **対象支払利子等の額**

支払利子等の額のうち**対象外支払利子等の額**以外の金額

(3) **対象外支払利子等の額**

支払利子等を受ける者の**課税対象所得**に含まれる支払利子等の額等

(4) **控除対象受取利子等合計額**

$$\text{その事業年度の受取利子等の額の合計額} \times \frac{\text{その事業年度の対象支払利子等合計額}}{\text{その事業年度の支払利子等の合計額}}$$

13－4 外国関係会社に係る課税の特例

1．益金算入（措法66の6①）　重要度◎

(1) 内　容

次の内国法人に係る外国関係会社のうち、特定外国関係会社又は対象外国関係会社に該当するものが、適用対象金額を有する場合には、その適用対象金額のうち課税対象金額相当額は、その内国法人の収益の額とみなして、益金の額に算入する。

① 外国関係会社株式等の保有割合が10％以上である内国法人

② 外国関係会社との間に実質支配関係がある内国法人

③ 外国関係会社株式等の保有割合が10％以上である一の同族株主グループに属する内国法人

(2) 部分適用対象金額に係る合算課税

上記(1)の内国法人に係る部分対象外国関係会社が、特定所得の金額を有する場合には、その特定所得の金額に係る部分適用対象金額のうち部分課税対象金額相当額は、その内国法人の収益の額とみなして、益金の額に算入する。

2．適用除外（措法66の6⑤⑩）　重要度◎

(1) 上記1.(1)の規定は、次の事実があるときは、適用しない。

① 特定外国関係会社の租税負担割合が27％以上であること。

② 対象外国関係会社の租税負担割合が20％以上であること。

(2) 上記1.(2)の規定は、次のいずれかの事実があるときは、適用しない。

① 租税負担割合が20％以上であること。

② 部分適用対象金額が2,000万円以下であること。

③ 所得のうちに部分適用対象金額の占める割合が5％以下であること。

3．書類の添付（措法66の6⑪）　重要度△

上記1.の内国法人は、次の外国関係会社の貸借対照表及び損益計算書その他一定の書類を確定申告書に添付しなければならない。

(1) 租税負担割合が20％未満である部分対象外国関係会社（一定のものを除く。）、対象外国関係会社

(2) 租税負担割合が27％未満である特定外国関係会社

4．用語の意義（措法66の６②⑥⑦、措令39の14、措令39の17の３）　重要度◎

(1) 外国関係会社

次の外国法人等をいう。

① 居住者及び内国法人並びに特殊関係非居住者等に係る保有割合が50%超の外国法人

② 居住者又は内国法人との間に実質支配関係がある外国法人

(2) 特定外国関係会社

次の外国関係会社をいう。

① 主たる事業を行うに必要と認められる事務所等がなく、かつ、事業の管理、支配及び運営を自ら行っていない外国関係会社

② 総資産額に対する剰余金の配当等などの所得の占める割合が高い外国関係会社等

③ 租税に関する情報交換に関する国際的取組への協力が著しく不十分な国等に本店等を有する外国関係会社

(3) 対象外国関係会社

次のいずれかを満たさない外国関係会社（特定外国関係会社を除く。）をいう。

① 事業基準（主たる事業が株式等の保有、無形資産の提供、船舶・航空機の貸付けでないこと）

② 実体基準（本店所在地国に主たる事業に必要な事務所等を有すること）

③ 管理支配基準（本店所在地国において事業の管理、支配及び運営を自ら行っていること）

④ 所在地国基準（非関連者基準に掲げる事業以外の業種で、主として本店所在地国で事業を行っていること）又は非関連者基準（卸売業などの業種で主として関連者以外の者と取引を行っていること）

(4) 部分対象外国関係会社

上記(3)の①から④の全てを満たす外国関係会社（特定外国関係会社に該当するものを除く。）をいう。

(5) 適用対象金額

基準所得金額－(前７年以内の繰越欠損金の額＋当期に納付する法人税)

(6) 課税対象金額

適用対象金額×その内国法人の保有割合

(7) 特定所得の金額

配当、利子等、有価証券の貸付対価、有価証券の譲渡損益、デリバティブ取引損益、外国為替差損益、その他の金融所得、固定資産の貸付対価、無形資産等の使用料、無形資産等の譲渡損益など

(8) 部分適用対象金額

特定所得の金額を基礎として一定の算式により計算した金額

(9) 部分課税対象金額

部分適用対象金額×その内国法人の保有割合

(MEMO)

(MEMO)

テーマ

14

税額計算等

14−1　中小企業者等が機械等を取得した場合

1．特別償却（措法42の６①等、措法52の２①）　重要度◎

(1) 内　容

青色申告書を提出する中小企業者等が、新品の特定機械装置等を取得等し、事業の用（貸付けの用を除く。）に供した場合には、供用年度の償却限度額は、普通償却限度額と特別償却限度額との合計額とする。

なお、特別償却不足額については１年間の繰越が認められている。

《特別償却限度額》

取得価額×30%

(2) 明細書の添付

(1)の規定は、確定申告書等に明細書の添付がある場合に限り適用する。

(3) 適用除外

(1)の規定は、中小企業者等が所有権移転外リース取引により取得した特定機械装置等については、適用しない。

(4) 特別償却準備金（措法52の３）

テーマ14（税額計算等）14−３参照。

2．法人税額の特別控除（措法42の６②等）　重要度◎

(1) 内　容

青色申告書を提出する特定中小企業者等が、新品の特定機械装置等を取得等し、事業の用（貸付けの用を除く。）に供した場合において、特別償却の適用を受けないときは、供用年度の調整前法人税額から特別控除額を控除する。

なお、控除不足額については１年間の繰越が認められている。

《特別控除額》

次のいずれか少ない金額とする。

① 取得価額×７%

② 供用年度の調整前法人税額×20%

(2) 申告要件

(1)の規定は、確定申告書等（控除額を増加させる修正申告書又は更正請求書を含む。）に控除の対象となる特定機械装置等の取得価額、控除額及びその計算の明細を記載した書類の添付がある場合に限り適用し、控除額の計算の基礎となる取得価額は、確定申告書等に添付された書類に記載された取得価額を限度とする。

3. 中小企業者の意義（措法42の4⑲等）

重要度◎

資本金の額が1億円以下の法人のうち次に掲げる法人以外の法人等をいう。

(1) 発行済株式等（自己株式等を除く。）の2分の1以上が同一の大規模法人（資本金の額が1億円超の法人等又は大法人による完全支配関係がある普通法人その他一定の普通法人）の所有に属している法人

（注）大法人とは、資本金の額が5億円以上である法人等をいう。

(2) 発行済株式等（自己株式等を除く。）の3分の2以上が複数の大規模法人の所有に属している法人

14−2 特定経営力向上設備等を取得した場合

1. 特別償却（措法42の12の4①等、措法52の2①）　重要度◎

(1) 内　容

青色申告書を提出する中小企業者等で中小企業等経営強化法の認定を受けたものが、新品の特定経営力向上設備等を取得等し、事業の用（貸付けの用を除く。）に供した場合には、供用年度の償却限度額は、普通償却限度額と特別償却限度額との合計額とする。

なお、特別償却不足額については1年間の繰越が認められている。

《特別償却限度額》

取得価額−普通償却限度額

(2) 明細書の添付

(1)の規定は、確定申告書等に明細書の添付がある場合に限り、適用する。

(3) 適用除外

(1)の規定は、所有権移転外リース取引により取得した特定経営力向上設備等については、適用しない。

(4) 特別償却準備金（措法52の3）

テーマ14（税額計算等）14−3参照。

2. 法人税額の特別控除（措法42の12の4②等）　重要度◎

(1) 内　容

青色申告書を提出する中小企業者等で中小企業等経営強化法の認定を受けたものが、新品の特定経営力向上設備等を取得等し、事業の用（貸付けの用を除く。）に供した場合において、特別償却の適用を受けないときは、供用年度の調整前法人税額から特別控除額を控除する。

なお、控除不足額については、1年間の繰越が認められている。

《特別控除額》

次のいずれか少ない金額とする。

① 取得価額×7％（資本金の額が3,000万円以下の場合10％）

② 供用年度の調整前法人税額×20％−特定機械装置等の特別控除額

(2) 申告要件

(1)の規定は、確定申告書等（控除額を増加させる修正申告書又は更正請求書を含む。）に控除の対象となる特定経営力向上設備等の取得価額、控除額及びその計算の明細を記載した書類の添付がある場合に限り適用し、控除額の計算の基礎となる取得価額は、確定申告書等に添付された書類に記載された取得価額を限度とする。

14-3 特別償却準備金

1．損金算入　重要度◎

(1) 内　容（措法52の3①）

特別償却の適用を受けることができる法人が、特別償却の適用を受けることに代えて、各特別償却対象資産別に特別償却限度額以下の金額を(3)の方法により特別償却準備金として積み立てたときは、その積み立てた金額はその事業年度の損金の額に算入する。

(2) 繰越し（措法52の3②）

(1)による損金算入額が、特別償却限度額に満たない場合において、(1)の事業年度終了の日の翌日以後1年以内に終了する各事業年度に、その満たない金額以下の金額を(3)の方法により積み立てたときは、その積み立てた金額は、その事業年度の損金の額に算入する。

(3) 積立方法（措法52の3①②）

① 損金経理による方法

② 決算確定の日までに剰余金の処分により積立金として積み立てる方法

(4) 申告要件（措法52の3⑧）

(1)(2)の規定は、確定申告書等に積立額の損金算入に関する申告の記載及び明細書の添付がある場合に限り適用する。

2．益金算入（措法52の3⑤）　重要度○

前事業年度から繰り越された特別償却準備金の金額がある場合には、積立事業年度別及び特別償却対象資産別に区分した各金額ごとに、次により計算した金額をその事業年度の益金の額に算入する。

$$\text{特別償却準備金の損金算入額} \times \frac{\text{その事業年度の月数}}{84\text{（注）}}$$

（注）特別償却対象資産の耐用年数が10年未満の場合は、次のいずれか少ない数。

① 60

② 耐用年数×12

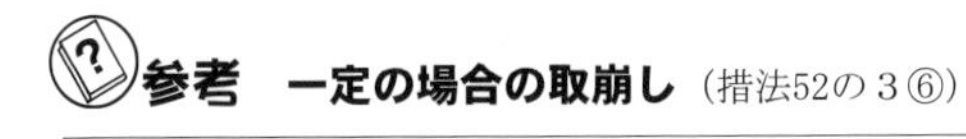

参考　一定の場合の取崩し（措法52の３⑥）

特別償却準備金を積み立てている法人は、次の場合に該当することとなった場合には、それぞれに係る一定の金額をその該当することとなった日を含む事業年度の益金の額に算入する。

(1) 特別償却対象資産を有しないこととなった場合（次の(2)の場合を除く。）
(2) 非適格合併等により合併法人等に特別償却対象資産を移転した場合
(3) その他一定の場合

使途秘匿金

1．内　容（措法62①）　重要度◎

法人（公共法人を除く。）は、その使途秘匿金の支出について法人税を納める義務があるものとし、法人が使途秘匿金の支出をした場合には、その法人に対して課する各事業年度の所得に対する法人税の額は、通常の法人税の額に、次の特別税額を加算した金額とする。

特別税額＝使途秘匿金の支出額×40%

2．使途秘匿金の支出の範囲（措法62②③）　重要度◎

(1) 使途秘匿金の支出とは、法人がした金銭の支出（贈与、供与その他これらに類する目的のためにする金銭以外の資産の引渡しを含む。）のうち、相当の理由がなく、その相手方の氏名等をその法人の帳簿書類に記載していないもの（資産の譲受けその他の取引の対価の支払としてされたものであることが明らかなものを除く。）をいう。

(2) 税務署長は、法人がした金銭の支出のうちにその相手方の氏名等をその法人の帳簿書類に記載していないものがある場合においても、その相手方の氏名等を秘匿するためでないと認めるときは、その金銭の支出を使途秘匿金の支出に含めないことができる。

3．適用除外（措法62④）　重要度△

上記1．の規定は、公益法人等又は人格のない社団等の収益事業以外の事業に係る金銭の支出その他一定の支出については、適用しない。

4．判定の時期（措法62⑤、措令38）　重要度○

法人が金銭の支出の相手方の氏名等をその帳簿書類に記載しているかどうかの判定は、その事業年度終了の日の現況による。

(MEMO)

14−5 所得税額控除

1．所得税額控除　重要度◎

(1) 税額控除（法68①）

内国法人が各事業年度において利子及び配当等の支払を受ける場合には、これらにつき課される所得税の額のうち一定額を、その事業年度の法人税の額から控除する。

(2) 控除額（令140の２）

① 期間按分するもの

剰余金の配当（みなし配当等を除く。）等又は集団投資信託（合同運用信託、公社債投資信託等を除く。）の収益の分配に対する所得税

… 元本所有期間に応ずる月数按分により計算した金額又は簡便計算（元本を株式出資と受益権とに区分し、同一区分に統一適用する。）により算出した金額を控除する。

② 期間按分しないもの

①以外の所得税 … その全額を控除する。

(3) 適用除外（法68②）

(1)の規定は、公益法人等又は人格のない社団等が支払を受ける利子及び配当等で収益事業以外の事業等から生ずるものにつき課される所得税の額については適用しない。

(4) 申告要件（法68④）

(1)の規定は、確定申告書、修正申告書又は更正請求書に控除額及び明細を記載した書類の添付がある場合に限り、記載金額を限度に適用する。

(5) 還　付（法78）

確定申告書等に所得税の額の控除不足額の記載があるときは、税務署長は、その金額を還付する。

2．損金不算入（法40）　重要度◎

所得税の額につき、税額控除又は還付の規定の適用を受ける場合には、その控除又は還付される金額は、各事業年度の損金の額に算入しない。

（MEMO）

14−6 外国税額控除

1．外国税額控除　重要度◎

(1) 税額控除（法69①）

内国法人が各事業年度において外国法人税を納付することとなる場合には、控除限度額を限度として、控除対象外国法人税の額をその事業年度の法人税の額から控除する。

(2) 繰越し（法69②③）

① 控除限度額

納付することとなる控除対象外国法人税の額がその事業年度の控除限度額等を超える場合において、前３年内事業年度に生じた繰越控除限度額があるときは、その繰越控除限度額を限度として、その超える部分の金額をその事業年度の法人税の額から控除する。

② 控除対象外国法人税額

納付することとなる控除対象外国法人税の額がその事業年度の控除限度額に満たない場合において、前３年内事業年度に生じた繰越控除対象外国法人税額があるときは、その満たない部分の金額を限度として、その繰越控除対象外国法人税額をその事業年度の法人税の額から控除する。

(3) 適用除外（法69⑬）

上記の規定は、公益法人等又は人格のない社団等が収益事業以外の事業等について納付する控除対象外国法人税の額については、適用しない。

(4) 申告要件（法69㉕〜㉘）

上記の規定は、確定申告書、修正申告書又は更正請求書に控除額及びその明細を記載した書類並びに一定の書類の添付があり、かつ、一定の書類を保存している場合に限り適用する。なお、適用額は税務署長において特別の事情があると認める場合を除くほか記載金額を限度とする。

(5) 還　付（法78）

確定申告書等に外国税の額の控除不足額の記載があるときは、税務署長は、その金額を還付する。

2．損金不算入（法41）　重要度◎

納付する控除対象外国法人税の額につき、税額控除又は還付の規定の適用を受ける場合には、その控除対象外国法人税の額は、各事業年度の損金の額に算入しない。

参考　控除限度額（令142）

$$\text{その事業年度の法人税の額} \times \frac{\text{その事業年度の国外所得金額}}{\text{その事業年度の所得金額}}$$

参考　控除対象外国法人税の額（令142の2）

次の外国法人税の額を除いた金額をいう。

(1) 所得に対する負担が高率な部分の外国法人税の額
（外国法人税－課税標準とされる金額×35%）

(2) 外国子会社から受ける剰余金の配当等の額（損金の額に算入される金額を除く）を課税標準として課される外国法人税の額

(3) その他一定の外国法人税の額

参考　外国子会社配当の益金不算入の適用を受ける場合

(1) 配当等の益金不算入

(2) 外国源泉税等の損金不算入

（注）　テーマ5（受取配当等）［5－6］参照。

14−7 仮装経理に基づく過大申告

1．更正の特例（法129①）

重要度◎

確定申告書に記載された各事業年度の所得の金額がその事業年度の課税標準とされるべき所得の金額を超えている場合において、その超える金額のうちに仮装経理に基づくものがあるときは、税務署長は、その事業年度の所得に対する法人税につき、内国法人がその事業年度後の各事業年度においてその事実に係る修正の経理をし、かつ、その修正の経理をした事業年度の確定申告書を提出するまでの間は、更正をしないことができる。

2．更正に伴う法人税額の控除（法70）

重要度◎

内国法人の各事業年度開始の日前に開始した事業年度の法人税につき税務署長が更正をした場合において、その更正につき下記3.(1)の適用があったときは、その仮装経理法人税額は、その各事業年度の所得に対する法人税の額から控除する。

3．更正に伴う法人税額の還付の特例

重要度◎

(1) **原　則**（法135①）

確定申告書に記載された各事業年度の所得の金額がその事業年度の課税標準とされるべき所得の金額を超え、かつ、その超える金額のうちに仮装経理に基づくものがある場合において、税務署長がその事業年度の法人税につき更正をしたときは、仮装経理法人税額は、次の(2)の適用がある場合を除き、還付しない。

(2) **特　例**（法135②〜⑦）

①　確定法人税額の還付

(1)の更正の日の属する事業年度開始の日前1年以内に開始する各事業年度の法人税の額でその更正の日の前日において確定しているもの（以下「確定法人税額」という。）があるときは、税務署長は、その更正に係る仮装経理法人税額のうちその確定法人税額に達するまでの金額を還付する。

②　5年を経過する場合等の還付

(1)の適用があった内国法人（以下「適用法人」という。）について、(1)の更正の日の属する事業年度開始の日から5年を経過する日（その更正の日からその5年を経過する日の属する事業年度終了の日までの間に残余財産が確定したこと等の事実が生じたときは、その確定の日等）の属する事業年度の確定申告期限が到来した場合には、税務署長は、その仮装経理法人税額（既に還付又は控除された金額を除く。）を還付する。

③　会社更生法等による還付請求

イ　内　容

適用法人につき更生手続開始の決定等の事実が生じた場合には、その適用法人は、その事実が生じた日以後１年以内に、納税地の所轄税務署長に対し、その適用に係る仮装経理法人税額（既に還付又は控除された金額を除く。）の還付を請求することができる。

ロ　還付請求書

還付の請求をしようとする適用法人は、その還付を受けようとする仮装経理法人税額等を記載した還付請求書を納税地の所轄税務署長に提出しなければならない。

ハ　還付等

税務署長は、還付請求書の提出があった場合には、その請求に係る事実等について調査し、その調査したところにより、その適用法人に対し、仮装経理法人税額を還付し、又は請求の理由がない旨を書面により通知する。

(MEMO)

テーマ

15

申告・納付等

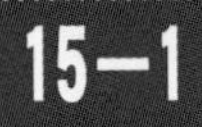

15−1 税額の計算

1. 税　率（法66、措法42の３の２）　重要度◎

内国法人に対して課する各事業年度の所得に対する法人税の額は、各事業年度の所得の金額に次の税率を乗じて計算した金額とする。

(1) 普通法人、一般社団法人等又は人格のない社団等

23.2%（普通法人のうち期末資本金の額が１億円以下であるもの若しくは資本若しくは出資を有しないもの、一般社団法人等又は人格のない社団等の年800万円以下の所得の金額については15%）

ただし、期末に大法人による完全支配関係がある普通法人その他一定の普通法人については、15%の税率は適用しない。

（注１）一般社団法人等とは、公益法人等に該当する一般社団法人及び一般財団法人並びに公益社団法人及び公益財団法人をいう。

（注２）大法人とは、資本金の額が５億円以上である法人等をいう。

(2) 公益法人等（一般社団法人等を除く。）又は協同組合等

19%（年800万円以下の所得の金額については15%）

プラスα　その他一定の普通法人（法66⑤）

普通法人との間に完全支配関係がある全ての大法人が有する株式等の全部をそのうちいずれか一の大法人が有するものとみなした場合にその大法人による完全支配関係があるときのその普通法人

(MEMO)

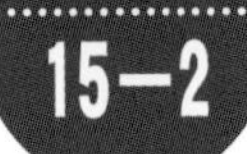

15−2 各事業年度の所得課税（確定申告等）

1．中間申告書　重要度◎

(1) **前期実績による場合**（法71①等）

内国法人である普通法人（清算中のものを除く。(2)において同じ。）は、その事業年度（適格合併による設立以外の設立事業年度を除く。）が６月を超える場合には、その事業年度開始の日以後６月を経過した日（以下「６月経過日」という。）から２月以内に、税務署長に対し、次の事項を記載した中間申告書を提出しなければならない。

ただし、①の金額が10万円以下である場合、国税通則法の規定による期限の延長により中間申告書の提出期限とその事業年度の確定申告書の提出期限とが同一の日となる場合は、中間申告書の提出は要しない。

① 前事業年度の確定申告に係る法人税額で６月経過日の前日までに確定したもの × $\frac{\text{中間期間の月数}}{\text{前事業年度の月数}}$

（注）中間期間とは、その事業年度の開始の日から６月経過日の前日までの期間をいう。

② ①の金額の計算の基礎その他一定の事項

(2) **仮決算による場合**（法72①②）

内国法人である普通法人が、その事業年度開始の日以後６月の期間を１事業年度とみなしてその期間に係る課税標準である所得の金額又は欠損金額を計算した場合には、(1)の事項に代えて、その所得金額又は欠損金額等を記載した中間申告書を提出することができる。

ただし、(1)ただし書により中間申告書を提出することを要しない場合、仮決算により計算される法人税額が(1)①の金額を超える場合又は受託法人は、この限りでない。

なお、この申告書には、貸借対照表、損益計算書その他一定の書類を添付しなければならない。

(3) **中間申告書の提出がない場合**（法73）

中間申告書を提出すべき内国法人である普通法人がその申告書を提出期限までに提出しなかった場合には、その普通法人については、その提出期限において、税務署長に対し、(1)の申告書の提出があったものとみなす。

2．確定申告書（法74①）
重要度◎

内国法人は、各事業年度終了の日の翌日から２月以内に、税務署長に対し、確定した決算に基づき、次の事項を記載した確定申告書を提出しなければならない。

なお、この申告書には、貸借対照表、損益計算書その他一定の書類を添付しなければならない。

(1) その事業年度の課税標準である所得の金額又は欠損金額

(2) 法人税額その他一定の事項

3．納付等（法76～79）
重要度◎

(1) 納　付

上記１．２．の申告書を提出した内国法人は、申告書に記載した法人税額があるときは、申告書の提出期限までにその金額を国に納付しなければならない。

(2) 還　付

確定申告書に中間納付額等の控除不足額の記載があるときは、税務署長は、その金額を還付する。

テーマ15

4．電子申告（法75の４）
重要度○

特定法人である内国法人は、法人税の申告については、申告書記載事項又は添付書類記載事項を電子情報処理組織を使用する方法により提供することにより、行わなければならない。ただし、その申告のうち添付書類に係る部分については、記録用の媒体を提出する方法により、行うことができる。

（注）特定法人とは、その事業年度開始の時における資本金の額が１億円を超える法人等をいう。

プラスα　残余財産が確定した場合（法74②）

清算中に残余財産が確定した場合には、その残余財産の確定の日の属する事業年度に係る上記２．の「２月以内」とあるのは、１月以内（その翌日から１月以内に残余財産の最後の分配等が行われる場合には、その行われる日の前日まで）とする。

15−3 各事業年度の所得課税（期限の延長）

1．国税通則法による場合（国通法11）　重要度○

税務署長等は、災害その他やむを得ない理由により、申告等をその期限までに行うことができないと認めるときは、その理由のやんだ日から２月以内に限り、その期限を延長することができる。

2．提出期限の延長　重要度○

(1) 内　容（法75①）

確定申告書を提出すべき内国法人が、災害その他やむを得ない理由により決算が確定しないため、確定申告書を提出期限までに提出することができないと認められる場合には、上記１．の場合を除き、納税地の所轄税務署長は、その法人の申請に基づき、期日を指定してその提出期限を延長することができる。

(2) 申　請（法75②）

(1)の申請は、その申告書に係る事業年度終了の日の翌日から45日以内に、提出期限までに決算が確定しない理由等を記載した申請書をもってしなければならない。

(3) 処　分（法75④⑤）

税務署長は、(2)の申請書の提出があった場合に延長又は却下の処分をするときは、その申請をした内国法人に対し、書面によりその旨を通知する。

なお、その事業年度終了の日の翌日から２月以内にその処分がなかったときは、延長がされたものとみなす。

3．提出期限の延長の特例

重要度◎

(1) **内　容**（法75の２①）

確定申告書を提出すべき内国法人が、定款等の定め等により、その事業年度以後の各事業年度終了の日の翌日から２月以内にその各事業年度の決算についての定時総会が招集されない常況にあると認められる場合には、納税地の所轄税務署長は、その法人の申請に基づき、その事業年度以後の各事業年度（残余財産の確定の日の属する事業年度を除く。）の確定申告書の提出期限を１月間（次の場合その期間）延長することができる。

会計監査人を置いている場合で、各事業年度終了の日の翌日から３月以内に定時総会が招集されない常況にあると認められる場合

… ４月を限度として税務署長が指定する月数の期間

(2) **申　請**（法75の２③）

(1)の申請は、その申告書に係る事業年度終了の日までに、定款等の定めの内容等を記載した申請書をもってしなければならない。

(3) **処　分**（法75の２⑧）

税務署長は、(2)の申請書の提出があった場合に延長又は却下の処分をするときは、その申請をした内国法人に対し、書面によりその旨を通知する。

なお、その事業年度終了の日の翌日から15日以内にその処分がなかったときは、延長がされたものとみなす。

参考　延長の取消し等

(1) **延長の変更又は取消し**（法75の２⑤⑥）

税務署長は、上記３.(1)の適用を受けている法人につき、定款等の定めに変更が生じたと認められる場合等には、延長の処分を取り消し、又は延長の期間を変更することができる。

この場合には、その法人に対し書面によりその旨を通知する。

(2) **取りやめ**（法75の２⑦）

上記３.(1)の適用を受けている法人は、その事業年度以後の各事業年度についてその適用を受けることをやめようとするときは、その事業年度終了の日までに、一定の事項を記載した届出書を納税地の所轄税務署長に提出しなければならない。

15−4 青色申告

1．内　容　　重要度◎

(1) 青色申告（法121）

内国法人は、納税地の所轄税務署長の承認を受けた場合には、中間申告書、確定申告書等及びこれらに係る修正申告書を青色の申告書により提出することができる。

(2) 承認申請（法122）

その事業年度以後の各事業年度の申告書につき青色申告の承認を受けようとする内国法人は、その事業年度開始の日の前日までに、一定の事項を記載した申請書を納税地の所轄税務署長に提出しなければならない。

（注）新設法人等の場合の申請書の提出期限は、次のいずれか早い日の前日とする。

① 設立等の日以後３月を経過した日

② 設立等の日の属する事業年度終了の日

(3) 処　分（法124、法125）

税務署長は、(2)の申請書の提出があった場合に、承認又は却下の処分をするときは、その申請をした内国法人に対し、書面によりその旨を通知する。

なお、その事業年度終了の日（中間申告書を提出すべき法人についてはその事業年度開始の日以後６月を経過する日）までにその処分がなかったときは、同日に承認があったものとみなす。

(4) 帳簿書類（法126①）

青色申告法人は、一定の帳簿書類を備え付けてこれにその取引を記録し、かつ、その帳簿書類を保存しなければならない。

(5) 承認の取消し（法127①）

青色申告法人につき一定の事実がある場合には、納税地の所轄税務署長は、その事業年度まで遡って、その承認を取り消すことができる。この場合に、その取消しがあったときは、その事業年度開始の日以後に提出した青色申告書（納付すべき義務が同日前に成立した法人税に係るものを除く。）は、青色申告書以外の申告書とみなす。

(6) **取りやめ**（法128）

青色申告法人は、青色申告書の提出をやめようとするときは、その事業年度終了の日の翌日から２月以内に、一定の事項を記載した届出書を納税地の所轄税務署長に提出しなければならない。

この場合、その届出書の提出があったときは、その事業年度以後の各事業年度について青色申告の承認はその効力を失うものとする。

２．青色申告の法人税法上の特典

重要度○

(1) **欠損金の繰越控除**（法57）

テーマ12（欠損金等）12－１参照

(2) **欠損金の繰戻し還付**（法80）

テーマ12（欠損金等）12－３参照

(3) **青色申告書に係る更正**（法130）

税務署長は、青色申告書に係る法人税の課税標準又は欠損金額の更正をする場合には、その内国法人の帳簿書類を調査し、その調査によりその課税標準又は欠損金額の計算に誤りがあると認められる場合に限り、これをすることができる。

15−5 更正の請求

1. 国税通則法　重要度◎

(1) **原　則**（国通法23①）

納税申告書を提出した法人は、次のいずれかの事由に該当する場合には、その**申告書**に係る**法定申告期限**から**５年**（②については10年）以内に限り、税務署長に対し、**更正の請求**をすることができる。

① その申告書に記載した税額等の計算が国税に関する法律の規定に従っていなかったこと又はその計算に誤りがあったことにより、その申告に係る納付すべき税額が過大であるとき

② ①の理由により、その申告に係る欠損金額が過少であるとき、又は欠損金額の記載がなかったとき

③ ①の理由により、その申告に係る還付金額が過少であるとき、又は還付金額の記載がなかったとき

(2) **後発的事由に基づく特則**（国通法23②）

納税申告書を提出した法人又は決定を受けた法人は、次のいずれかの事由に該当する場合には、**その事由等が生じた日の翌日から２月以内**（納税申告書を提出した法人については(1)の期限後に到来する場合に限る。）に限り、税務署長に対し、**更正の請求**をすることができる。

① その申告等に係る税額等の計算の基礎となった事実に関する訴えについての判決により、その事実がその基礎としたところと異なることが確定したとき

② その申告等に係る税額等の計算に当たってその申告等をした者に帰属するものとされていた所得等が他の者に帰属するものとする当該他の者に係る国税の更正又は決定があったとき

③ その他法定申告期限後に生じた①又は②に類するやむを得ない理由があるとき

2．法人税法の特例（法81）

重要度◎

確定申告書に記載すべき法人税額等につき、修正申告書を提出し、又は更正若しくは決定を受けた内国法人は、その修正申告書の提出又は更正若しくは決定に伴い、その事業年度後の事業年度で決定を受けた事業年度に、次のいずれかに該当する場合には、その提出をした日又はその通知を受けた日の翌日から２月以内に限り、税務署長に対し、更正の請求をすることができる。

(1) 法人税額が過大となる場合
(2) 還付金額が過少となる場合

3．手　続（国通法23③～⑤）

重要度△

(1) 更正の請求をしようとする法人は、更正の請求をする理由等を記載した更正請求書を税務署長に提出しなければならない。
(2) 税務署長は、更正の請求があった場合には、その請求について調査し、更正をし、又は更正をすべき理由がない旨をその請求をした者に通知する。
(3) 税務署長は、更正の請求があった場合においても、原則として、その請求に係る納付すべき法人税の徴収を猶予しない。

15−6 更正及び決定

1．内　容　重要度○

(1) 更　正（国通法24）

税務署長は、納税申告書の提出があった場合において、その納税申告書に記載された税額等の計算が国税に関する法律の規定に従っていなかったとき、その他その税額等がその調査したところと異なるときは、その調査により、その申告書に係る税額等を更正する。

(2) 決　定（国通法25）

税務署長は、納税申告書を提出する義務があると認められる法人がその申告書を提出しなかった場合には、その調査により、その申告書に係る税額等を決定する。ただし、決定により納付すべき税額及び還付金の額に相当する税額が生じないときは、この限りではない。

(3) 再更正（国通法26）

税務署長は、更正又は決定をした後、その更正又は決定をした税額等が過大又は過少であることを知ったときは、その調査によりその更正又は決定に係る税額等を更正する。

(4) 期間制限（国通法70）

法人税に係る更正又は決定は、法定申告期限から５年（一定のものは10年）を経過した日以後はすることはできない。

2．更正又は決定の特例　重要度◎

(1) 仮装経理に基づく過大申告（法129①）

テーマ14（税額計算等）14－７参照。

(2) 青色申告書に係る更正（法130①）

テーマ15（申告・納付等）15－４参照。

(3) 推計による更正又は決定（法131）

税務署長は、法人税につき更正又は決定をする場合には、(2)の場合を除き、財産若しくは債務の増減の状況、収入若しくは支出の状況等によりその内国法人に係る法人税の課税標準を推計して、これをすることができる。

(4) 同族会社等の行為計算の否認（法132①）

税務署長は、内国法人である同族会社等の法人税につき更正又は決定をする場合において、その法人の行為又は計算で、これを容認した場合には法人税の負担を不当に減少させる結果となると認められるものがあるときは、その行為又は計算にかかわらず、税務署長の認めるところにより、その法人に係る法人税の課税標準若しくは欠損金額又は法人税額を計算することができる。

（注）同族会社等に該当するかどうかの判定は、その行為又は計算のあった時の現況による。

(5) 組織再編成に係る行為計算の否認（法132の２）

税務署長は、合併等に係る次に掲げる法人の法人税につき更正又は決定をする場合において、その法人の行為又は計算で、これを容認した場合には法人税の負担を不当に減少させる結果となると認められるものがあるときは、その行為又は計算にかかわらず、税務署長の認めるところにより、その法人に係る法人税の課税標準若しくは欠損金額又は法人税額を計算することができる。

①　合併等をした法人又は合併等により資産及び負債の移転を受けた法人

②　合併等により交付された株式を発行した法人（①の法人を除く。）

③　①、②の法人の株主等である法人（①、②の法人を除く。）

(6) 通算法人に係る行為計算の否認（法132の３）

税務署長は、通算法人の法人税につき更正又は決定をする場合において、その通算法人又は他の通算法人の行為又は計算で、これを容認した場合には法人税の負担を不当に減少させる結果となると認められるものがあるときは、その行為又は計算にかかわらず、税務署長の認めるところにより、その通算法人に係る法人税の課税標準若しくは欠損金額又は法人税額を計算することができる。

(MEMO)

テーマ

16

企業組織再編成等

16−1 移転資産等の譲渡損益等

1．原則的取扱い（法62①②）　重要度◎

(1) 時価による譲渡

内国法人が合併又は分割により合併法人又は分割承継法人にその有する資産又は負債の移転をしたときは、合併又は分割の時の価額による譲渡をしたものとして、各事業年度の所得の金額を計算する。

(2) 新株等の取得・交付

(1)の場合には、合併法人から新株等をその時の価額により取得し、直ちにこれを株主等に交付したものとする。

(3) 譲渡損益の計上時期

合併により移転をした資産及び負債のその移転に係る譲渡利益額又は譲渡損失額は、最後事業年度の益金の額又は損金の額に算入する。

2．適格合併及び適格分割型分割の特例（法62の２①②③）　重要度◎

(1) 適格合併

内国法人が適格合併により合併法人にその有する資産及び負債の移転をしたときは、上記１．にかかわらず、最後事業年度終了の時の帳簿価額による引継ぎをしたものとして、各事業年度の所得の金額を計算する。

(2) 適格分割型分割

内国法人が適格分割型分割により分割承継法人にその有する資産又は負債の移転をしたときは、上記１．にかかわらず、適格分割型分割直前の帳簿価額による引継ぎをしたものとして、各事業年度の所得の金額を計算する。

なお、分割承継法人から交付を受けた分割承継法人又は分割承継親法人の株式の交付時の価額は、適格分割型分割により移転をした資産及び負債の帳簿価額を基礎として一定の金額とする。

3．適格分社型分割の特例（法62の３①）　重要度◎

内国法人が適格分社型分割により分割承継法人にその有する資産又は負債の移転をしたときは、上記１．にかかわらず、適格分社型分割直前の帳簿価額による譲渡をしたものとして、各事業年度の所得の金額を計算する。

4．適格現物出資の特例（法62の4①）

重要度◎

内国法人が適格現物出資により被現物出資法人にその有する資産又は資産と併せて負債の移転をしたときは、適格現物出資直前の帳簿価額による譲渡をしたものとして、各事業年度の所得の金額を計算する。

5．現物分配等の特例

重要度◎

(1) 原則的取扱い（法62の5①②）

① 時価による譲渡

内国法人が残余財産の全部の分配等（適格現物分配を除く。）により被現物分配法人その他の者にその有する資産の移転をするときは、残余財産の確定の時の価額による譲渡をしたものとして、各事業年度の所得の金額を計算する。

② 譲渡損益の計上時期

残余財産の全部の分配等により被現物分配法人その他の者に移転をする資産の譲渡利益額又は譲渡損失額は、その残余財産の確定の日の属する事業年度の益金の額又は損金の額に算入する。

(2) 適格現物分配の特例（法62の5③）

内国法人が適格現物分配又は適格株式分配により被現物分配法人その他の株主等にその有する資産の移転をしたときは、適格現物分配又は適格株式分配直前の帳簿価額（残余財産の全部の分配である場合には、残余財産の確定の時の帳簿価額）による譲渡をしたものとして、各事業年度の所得の金額を計算する。

(3) 益金不算入（法62の5④）

内国法人が適格現物分配により資産の移転を受けたことにより生ずる収益の額は、各事業年度の益金の額に算入しない。

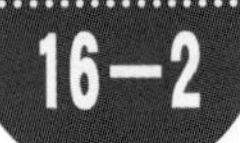

16−2 非適格合併

1．被合併法人（法62）　重要度◎

(1) 時価による譲渡

内国法人が合併により合併法人にその有する資産又は負債の移転をしたときは、合併の時の価額による譲渡をしたものとして、各事業年度の所得の金額を計算する。

(2) 新株等の取得・交付

(1)の場合には、合併法人から新株等をその時の価額により取得し、直ちにこれを株主等に交付したものとする。

(3) 譲渡損益の計上時期

合併により移転をした資産及び負債のその移転に係る譲渡利益額又は譲渡損失額は、最後事業年度の益金の額又は損金の額に算入する。

2．合併法人　重要度◎

(1) 取得した資産等の取得価額

取得の時におけるその取得のために通常要する価額とする。

(2) 資本金等の額の増加額（令８）

次の金額の合計額が資本金等の額の増加額となる。

①　合併により増加する資本金の額

②　合併により移転を受けた資産及び負債の純資産価額から増加資本金額等を減算した金額

3．被合併法人の株主　重要度◎

(1) みなし配当

①　みなし配当（法24）

法人の株主等である内国法人がその法人の合併（適格合併を除く。）により金銭等の交付を受けた場合において、その金銭の額等の合計額がその法人の資本金等の額のうちその交付の基因となった株式等に対応する部分の金額を超えるときは、その超える部分の金額は、配当等の額とみなす。

②　受取配当等の益金不算入（法23）

(2) 有価証券の譲渡損益（法61の２）

① 原　則

内国法人が**有価証券の譲渡**をした場合には、その**譲渡**に係る**譲渡利益額**又は**譲渡損失額**（イとロの差額をいう。）は、その**譲渡契約日**等の属する事業年度の**益金の額**又は**損金の額**に算入する。

イ　その有価証券の**譲渡の時**における**有償による譲渡**により**通常得べき対価の額**（みなし配当の額を除く。）

ロ　その有価証券の**譲渡原価の額**（１単位当たりの帳簿価額×譲渡をした有価証券の数）

② 特　例

金銭等不交付合併の場合の譲渡対価の額は、旧株の**合併直前の帳簿価額相当額**とする。

(3) 有価証券の取得価額（令119）

① 金銭等不交付合併の場合

… **被合併法人株式の合併直前の帳簿価額にみなし配当の額及び交付費用を**加算した金額

② ①以外の場合

… **取得の時**におけるその**取得のために通常要する価額**

(4) その他

所得税額控除など

留意点　被合併法人の株主の取扱い

【金銭等の交付なし】	【金銭等の交付あり】
(1) みなし配当	(1) みなし配当
(2) 有価証券の譲渡損益	(2) 有価証券の譲渡損益（①のみ）
(3) 有価証券の取得価額（①のみ）	(3) 有価証券の取得価額（②のみ）
(4) その他	(4) その他

16−3 適格合併

1．被合併法人（法62の２）　重要度◎

内国法人が適格合併により合併法人にその有する資産及び負債の移転をしたときは、原則にかかわらず、最後事業年度終了の時の帳簿価額による引継ぎをしたものとして、各事業年度の所得の金額を計算する。

2．合併法人　重要度◎

(1) 取得した資産等の取得価額（令123の３）

被合併法人の最後事業年度終了時の帳簿価額による引継ぎを受けたものとする。

(2) 資本金等の額の増加額（令８）

次の金額の合計額が資本金等の額の増加額となる。

① 合併により増加する資本金の額

② 合併により移転を受けた資産及び負債の純資産価額から増加資本金額等を減算した金額

(3) 利益積立金額の増加額（令９）

適格合併により被合併法人から移転を受けた資産の帳簿価額から負債の帳簿価額並びに増加した資本金等の額等を減算した金額

3．被合併法人の株主　重要度◎

(1) 有価証券の譲渡損益（法61の２）

① 原　則

内国法人が有価証券の譲渡をした場合には、その譲渡に係る譲渡利益額又は譲渡損失額（イとロの差額をいう。）は、その譲渡契約日等の属する事業年度の益金の額又は損金の額に算入する。

イ　その有価証券の譲渡の時における有償による譲渡により通常得べき対価の額（みなし配当の額を除く。）

ロ　その有価証券の譲渡原価の額（１単位当たりの帳簿価額×譲渡をした有価証券の数）

② 特　例

金銭等不交付合併の場合の譲渡対価の額は、旧株の合併直前の帳簿価額相当額とする。

(2) **有価証券の取得価額**

… 被合併法人株式の合併直前の帳簿価額に交付費用を加算した金額

プラスα　適格合併の要件（法2十二の八、令4の3）

被合併法人の株主等に合併法人又は合併親法人のうちいずれか一の法人の株式又は出資以外の資産（一定の場合の資産を除く）が交付されない合併で、次の(1)～(3)のいずれかの要件を満たすものをいう。

(1)　完全支配関係

次のいずれかの関係がある場合をいう。

①　被合併法人と合併法人との間にいずれか一方の法人による完全支配関係がある場合におけるその完全支配関係

②　被合併法人と合併法人との間に同一の者による完全支配関係があり、合併後にその同一の者とその合併法人との間にその同一の者による完全支配関係が継続することが見込まれている場合における被合併法人と合併法人との間の関係

(2)　支配関係

次の①又は②のいずれかの関係に該当し、かつ、**イ**及び**ロ**の要件に該当する場合をいう。

①　被合併法人と合併法人との間にいずれか一方の法人による支配関係がある場合におけるその支配関係

②　被合併法人と合併法人との間に同一の者による支配関係があり、合併後にその同一の者とその合併法人との間にその同一の者による支配関係が継続することが見込まれている場合における被合併法人と合併法人との間の関係

イ　従業者の引継要件

被合併法人の合併直前の従業者のおおむね80%以上が、合併後に合併法人の業務に従事することが見込まれていること。

ロ　事業継続要件

被合併法人の合併前に行う主要な事業が、合併後に合併法人において引き続き行われることが見込まれていること。

(3) 共同事業要件

次の**イ～ホ**までの要件を満たしていること。

イ　事業関連性要件

被合併法人の被合併事業（被合併法人の合併前に行う主要な事業のうちのいずれかの事業）と合併法人の合併事業（合併法人のいずれかの事業）とが相互に関連するものであること。

ロ　次のいずれかの要件

(イ) 事業規模要件

被合併事業と合併事業のそれぞれの売上金額、従業者数、資本金の額等の規模の割合がおおむね５倍を超えないこと。

(ロ) 特定役員引継ぎ要件

合併前の被合併法人の特定役員（社長、副社長、代表取締役、専務取締役等又はこれらに準ずる者で経営に従事している者）のいずれかと合併法人の特定役員のいずれかとが、合併後に合併法人の特定役員となることが見込まれていること。

ハ　従業者の引継要件

上記**(2)イ**と同様である。

ニ　事業継続要件

上記**(2)ロ**と同様である。

ホ　株式継続保有要件

合併により交付される合併法人株式等のうち支配株主に交付されるものの全部が支配株主により継続して保有されることが見込まれていること。

16－4 非適格分割型分割

1．分割法人　重要度◎

(1) 移転資産等の譲渡損益（法62）

内国法人が分割により分割承継法人にその有する資産又は負債の移転をしたときは、分割の時の価額による譲渡をしたものとして、各事業年度の所得の金額を計算する。

(2) 有価証券の譲渡損益（法61の２）

内国法人が有価証券の譲渡をした場合には、その譲渡に係る譲渡利益額又は譲渡損失額（①と②の差額をいう。）は、その譲渡契約日等の属する事業年度の益金の額又は損金の額に算入する。

① その有価証券の譲渡の時における有償による譲渡により通常得べき対価の額（みなし配当の額を除く。）

② その有価証券の譲渡原価の額（１単位当たりの帳簿価額×譲渡をした有価証券の数）

(3) 資本金等の額の減少額（令８）

分割法人の分割型分割の直前の資本金等の額に移転純資産割合を乗じて計算した金額

(4) 利益積立金額の減少額（令９）

非適格分割型分割に係る分割法人が株主等に交付した金銭の額等から減少する資本金等の額を減算した金額

2．分割承継法人　重要度◎

(1) 取得した資産等の取得価額

取得の時におけるその取得のために通常要する価額とする。

(2) 資本金等の額の増加額（令８）

次の金額の合計額が資本金等の額の増加額となる。

① 分割型分割により増加する資本金の額

② 分割型分割により移転を受けた資産及び負債の純資産価額から増加資本金額等を減算した金額

3．分割法人の株主　重要度◎

(1) みなし配当

① みなし配当（法24）

法人の株主等である内国法人がその法人の分割型分割（適格分割型分割を除く。）

により金銭等の交付を受けた場合において、その金銭の額等の合計額がその法人の資本金等の額のうちその交付の基因となった株式等に対応する部分の金額を超えるときは、その超える部分の金額は、配当等の額とみなす。

② 受取配当等の益金不算入（法23）

(2) 有価証券の譲渡損益（法61の２）

① 原　則

1.(2)と同様である。

② 特　例

分割型分割により新株等の交付を受けた場合には、移転資産及び負債に対応する部分の譲渡を行ったものとみなして、譲渡損益額を計算する。

イ　金銭等不交付分割型分割以外の場合の譲渡原価の額

…所有株式の分割直前の分割純資産対応帳簿価額

ロ　金銭等不交付分割型分割の場合の譲渡対価の額及び譲渡原価の額

…所有株式の分割直前の分割純資産対応帳簿価額

(3) 有価証券の取得価額（令119）

① 金銭等不交付分割型分割の場合

…分割法人株式の分割直前の帳簿価額に移転純資産割合を乗じて計算した金額にみなし配当の額及び交付費用を加算した金額

② ①以外の場合

…取得の時におけるその取得のために通常要する価額とする。

(4) その他

所得税額控除など

留意点　分割法人の株主の取扱い

【金銭等の交付なし】	【金銭等の交付あり】
(1) みなし配当	(1) みなし配当
(2) 有価証券の譲渡損益（②イ以外）	(2) 有価証券の譲渡損益（②ロ以外）
(3) 有価証券の取得価額（①のみ）	(3) 有価証券の取得価額（②のみ）
(4) その他	(4) その他

テーマ16

16−5 適格分割型分割

1．分割法人

重要度◎

(1) 移転資産等の譲渡損益（法62の２）

内国法人が適格分割型分割により分割承継法人にその有する資産又は負債の移転をしたときは、原則にかかわらず、適格分割型分割直前の帳簿価額による引継ぎをしたものとして、各事業年度の所得の金額を計算する。

なお、分割承継法人から交付を受けた分割承継法人又は分割承継親法人の株式の交付時の価額は、適格分割型分割により移転をした資産及び負債の帳簿価額を基礎として一定の金額とする。

(2) 有価証券の譲渡損益（法61の２）

① 原　則

内国法人が有価証券の譲渡をした場合には、その譲渡に係る譲渡利益額又は譲渡損失額（イとロの差額をいう。）は、その譲渡契約日等の属する事業年度の益金の額又は損金の額に算入する。

イ　その有価証券の譲渡の時における有償による譲渡により通常得べき対価の額（みなし配当の額を除く。）

ロ　その有価証券の譲渡原価の額（１単位当たりの帳簿価額×譲渡をした有価証券の数）

② 特　例

適格分割型分割により株主等に分割承継法人又は分割承継親法人の株式を交付した場合の譲渡対価の額及び譲渡原価の額

… 移転資産及び負債の帳簿価額を基礎として一定の金額

(3) 資本金等の額の減少額（令８）

分割法人の分割型分割の直前の資本金等の額に移転純資産割合を乗じて計算した金額

(4) 利益積立金額の減少額（令９）

適格分割型分割により分割承継法人に移転をした資産の帳簿価額から負債の帳簿価額及び減少する資本金等の額を減算した金額

2．分割承継法人

重要度◎

(1)　取得した資産等の取得価額（令123の3）

分割法人の適格分割型分割直前の帳簿価額による引継ぎを受けたものとする。

(2)　資本金等の額の増加額（令8）

次の金額の合計額が資本金等の額の増加額となる。

①　分割型分割により増加する資本金の額

②　分割型分割により移転を受けた資産及び負債の純資産価額から増加資本金額等を減算した金額

(3)　利益積立金額の増加額（令9）

適格分割型分割により分割法人から移転を受けた資産の帳簿価額から負債の帳簿価額並びに増加した資本金等の額等を減算した金額

3．分割法人の株主

重要度◎

(1)　有価証券の譲渡損益（法61の2）

①　原　則

1．(2)①と同じ

②　特　例

分割型分割により新株等の交付を受けた場合には、移転資産及び負債に対応する部分の譲渡を行ったものとみなして、譲渡損益額を計算する。

イ　金銭等不交付分割型分割の場合の譲渡対価の額及び譲渡原価の額

… 所有株式の分割直前の分割純資産対応帳簿価額

(2)　有価証券の取得価額

… 分割法人株式の分割直前の帳簿価額に移転純資産割合を乗じて計算した金額に交付費用を加算した金額

16−6 非適格分社型分割

1．分割法人　重要度◎

(1) 有価証券の取得価額（令119）

取得の時におけるその取得のために通常要する価額とする。

(2) 移転資産等の譲渡損益（法62）

内国法人が分割により分割承継法人にその有する資産又は負債の移転をしたときは、分割の時の価額による譲渡をしたものとして、各事業年度の所得の金額を計算する。

2．分割承継法人　重要度◎

(1) 取得した資産等の取得価額

取得の時におけるその取得のために通常要する価額とする。

(2) 資本金等の額の増加額（令８）

次の金額の合計額が資本金等の額の増加額となる。

① 分社型分割により増加する資本金の額

② 分社型分割により移転を受けた資産及び負債の純資産価額から増加資本金額等を減算した金額

16−7 テーマ16　企業組織再編成等　ランク**B**

適格分社型分割

1．分割法人　重要度◎

(1) 有価証券の取得価額（令119）

適格分社型分割直前の移転純資産の帳簿価額に交付費用を加算した金額とする。

(2) 移転資産等の譲渡損益（法62の3）

内国法人が適格分社型分割により分割承継法人にその有する資産又は負債の移転をしたときは、原則にかかわらず、適格分社型分割直前の帳簿価額による譲渡をしたものとして、各事業年度の所得の金額を計算する。

2．分割承継法人　重要度◎

(1) 取得した資産等の取得価額（令123の4）

分割法人の適格分社型分割直前の帳簿価額相当額とする。

(2) 資本金等の額の増加額（令8）

次の金額の合計額が資本金等の額の増加額となる。

①　分社型分割により増加する資本金の額

②　分社型分割により移転を受けた資産及び負債の純資産価額から増加資本金額等を減算した金額

非適格現物出資

1．現物出資法人　重要度◎

(1) **有価証券の取得価額**（令119）

払込金額及び給付資産の価額に取得費用を加算した金額とする。

(2) **移転資産等の譲渡損益**（法22）

内国法人が現物出資により被現物出資法人にその有する資産又は資産と併せて負債の移転をしたときは、現物出資時の価額による譲渡をしたものとして、各事業年度の所得の金額を計算する。

2．被現物出資法人　重要度◎

(1) **取得した資産等の取得価額**

取得の時におけるその取得のために通常要する価額とする。

(2) **資本金等の額の増加額**（令８）

次の金額の合計額が資本金等の額の増加額となる。

① 現物出資により増加する資本金の額

② 非適格現物出資により現物出資法人に交付した被現物出資法人株式のその時の価額から増加した資本金の額を減算した金額

16−9

テーマ16　企業組織再編成等　　ランク **B**

適格現物出資

1．現物出資法人　　重要度◎

(1) 有価証券の取得価額（令119）

適格現物出資直前の移転純資産の帳簿価額に交付費用を加算した金額とする。

(2) 移転資産等の譲渡損益（法62の４）

内国法人が適格現物出資により被現物出資法人にその有する資産又は資産と併せて負債の移転をしたときは、適格現物出資直前の帳簿価額による譲渡をしたものとして、各事業年度の所得の金額を計算する。

2．被現物出資法人　　重要度◎

(1) 取得した資産等の取得価額（令123の５）

現物出資法人の適格現物出資直前の帳簿価額相当額とする。

(2) 資本金等の額の増加額（令８）

次の金額の合計額が資本金等の額の増加額となる。

①　現物出資により増加する資本金の額

②　適格現物出資により移転を受けた資産及び負債の純資産価額から増加した資本金の額を減算した金額

16−10 非適格株式交換

1．株式交換完全子法人の株主　重要度◎

(1) **有価証券の譲渡損益**（法61の２）

① 原　則

内国法人が有価証券の譲渡をした場合には、その譲渡に係る譲渡利益額又は譲渡損失額（イとロの差額をいう。）は、その譲渡契約日等の属する事業年度の益金の額又は損金の額に算入する。

イ　その有価証券の譲渡の時における有償による譲渡により通常得べき対価の額（みなし配当の額を除く。）

ロ　その有価証券の譲渡原価の額（１単位当たりの帳簿価額×譲渡をした有価証券の数）

② 特　例

金銭等不交付株式交換の場合の譲渡対価の額は、旧株の株式交換直前の帳簿価額相当額とする。

(2) **有価証券の取得価額**（令119）

① 金銭等不交付株式交換の場合

… 株式交換完全子法人株式の株式交換直前の帳簿価額に交付費用を加算した金額

② ①以外の場合

取得の時におけるその取得のために通常要する価額とする。

2．株式交換完全子法人（法62の９）　重要度◎

内国法人が自己を株式交換完全子法人とする株式交換（適格株式交換及び株式交換の直前にその内国法人と株式交換完全親法人との間に完全支配関係があった場合を除く。）を行った場合には、その内国法人がその株式交換の直前の時において有する時価評価資産の評価益の額又は評価損の額は、その株式交換の日の属する事業年度の益金の額又は損金の額に算入する。

(注) 時価評価資産とは、固定資産、土地等（固定資産に該当するものを除く。）、有価証券、金銭債権及び繰延資産で一定のもの以外のものをいう。

3．株式交換完全親法人

重要度◎

(1) **有価証券の取得価額**（令119）

取得の時におけるその取得のために通常要する価額とする。

(2) **資本金等の額の増加額**（令8）

次の金額の合計額が資本金等の額の増加額となる。

① 株式交換により増加する資本金の額

② 株式交換により移転を受けた株式交換完全子法人株式の取得価額から増加資本金額等を減算した金額

プラスα　時価評価資産（令123の11）

(1) 資産の種類

① 固定資産

② 棚卸資産に該当する土地等

③ 有価証券

④ 金銭債権

⑤ 繰延資産

(2) 適用除外

① 前5年以内に一定の圧縮記帳等の適用を受けた減価償却資産

② 売買目的有価証券

③ 償還有価証券

④ 帳簿価額が1,000万円に満たない資産

⑤ 含み損益が次の金額に満たない資産

資本金等の額×1／2 ｝（少）
1,000万円

⑥ 内国法人との間に完全支配関係がある他の内国法人で清算中のもの等の株式等で含み損があるもの

留意点　株式交換完全子法人の株主の取扱い

【金銭等の交付なし】	【金銭等の交付あり】
(1) 有価証券の譲渡損益	(1) 有価証券の譲渡損益（①のみ）
(2) 有価証券の取得価額（①のみ）	(2) 有価証券の取得価額（②のみ）

テーマ16

適格株式交換

1．株式交換完全子法人の株主　重要度◎

(1) **有価証券の譲渡損益**（法61の２）

① 原　則

内国法人が有価証券の譲渡をした場合には、その譲渡に係る譲渡利益額又は譲渡損失額（イとロの差額をいう。）は、その譲渡契約日等の属する事業年度の益金の額又は損金の額に算入する。

イ　その有価証券の譲渡の時における有償による譲渡により通常得べき対価の額（みなし配当の額を除く。）

ロ　その有価証券の譲渡原価の額（１単位当たりの帳簿価額×譲渡をした有価証券の数）

② 特　例

金銭等不交付株式交換の場合の譲渡対価の額は、旧株の株式交換直前の帳簿価額相当額とする。

(2) **有価証券の取得価額**（令119）

株式交換完全子法人株式の株式交換直前の帳簿価額に交付費用を加算した金額とする。

2．株式交換完全子法人　重要度◎

処理なし

3．株式交換完全親法人

重要度◎

(1) 有価証券の取得価額（令119）

次の区分に応じてそれぞれに定める金額とする。

① 株式交換完全子法人の株主が50人未満の場合

株式交換完全子法人株式の適格株式交換直前の帳簿価額に取得費用を加算した金額

② 株式交換完全子法人の株主が50人以上の場合

株式交換完全子法人の前事業年度終了の時の資産の帳簿価額から負債の帳簿価額を減算した金額（その終了の時から適格株式交換直前の時までに資本金等の額又は利益積立金額が増減した場合には、増加した金額を加算し又は減少した金額を減算した金額）に取得費用を加算した金額

(2) 資本金等の額の増加額（令8）

次の金額の合計額が資本金等の額の増加額となる。

① 株式交換により増加する資本金の額

② 株式交換により移転を受けた株式交換完全子法人株式の取得価額から増加資本金額等を減算した金額

16−12 非適格株式移転

1．株式移転完全子法人の株主　重要度◎

(1) 有価証券の譲渡損益（法61の２）

① 原　則

内国法人が有価証券の譲渡をした場合には、その譲渡に係る譲渡利益額又は譲渡損失額（イとロの差額をいう。）は、その譲渡契約日等の属する事業年度の益金の額又は損金の額に算入する。

イ　その有価証券の譲渡の時における有償による譲渡により通常得べき対価の額（みなし配当の額を除く。）

ロ　その有価証券の譲渡原価の額（１単位当たりの帳簿価額×譲渡をした有価証券の数）

② 特　例

株式移転完全親法人株式以外の資産が交付されなかった場合の譲渡対価の額は、旧株の株式移転直前の帳簿価額相当額とする。

(2) 有価証券の取得価額（令119）

① 株式移転完全親法人株式以外の資産が交付されなかった場合

… 株式移転完全子法人株式の株式移転直前の帳簿価額に交付費用を加算した金額

② ①以外の場合

… 取得の時におけるその取得のために通常要する価額とする。

2．株式移転完全子法人（法62の９）　重要度◎

内国法人が自己を株式移転完全子法人とする株式移転（適格株式移転及び株式移転の直前に株式移転完全子法人と他の株式移転完全子法人との間に完全支配関係があった場合を除く。）を行った場合には、その内国法人がその株式移転の直前の時において有する時価評価資産の評価益の額又は評価損の額は、その株式移転の日の属する事業年度の益金の額又は損金の額に算入する。

(注) 時価評価資産とは、固定資産、土地等（固定資産に該当するものを除く。）、有価証券、金銭債権及び繰延資産で一定のもの以外のものをいう。

3．株式移転完全親法人　重要度◎

(1) **有価証券の取得価額**（令119）

取得の時におけるその取得のために通常要する価額とする。

(2) **資本金等の額の増加額**（令８）

次の金額の合計額が資本金等の額の増加額となる。

① 株式移転により増加する資本金の額

② 株式移転により移転を受けた株式移転完全子法人株式の取得価額からその移転時の資本金の額等を減算した金額

時価評価資産（令123の11）

16－10（非適格株式交換）と同様

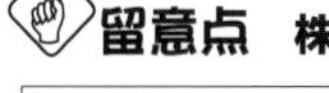

株式移転完全子法人の株主の取扱い

【金銭等の交付なし】	【金銭等の交付あり】
(1) 有価証券の譲渡損益	(1) 有価証券の譲渡損益（①のみ）
(2) 有価証券の取得価額（①のみ）	(2) 有価証券の取得価額（②のみ）

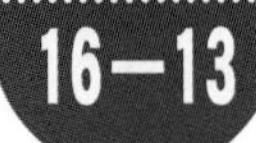

16−13 適格株式移転

1．株式移転完全子法人の株主　重要度◎

(1) 有価証券の譲渡損益（法61の２）

① 原　則

内国法人が有価証券の譲渡をした場合には、その譲渡に係る譲渡利益額又は譲渡損失額（イとロの差額をいう。）は、その譲渡契約日等の属する事業年度の益金の額又は損金の額に算入する。

イ　その有価証券の譲渡の時における有償による譲渡により通常得べき対価の額（みなし配当の額を除く。）

ロ　その有価証券の譲渡原価の額（１単位当たりの帳簿価額×譲渡をした有価証券の数）

② 特　例

株式移転完全親法人株式以外の資産が交付されなかった場合の譲渡対価の額は、旧株の株式移転直前の帳簿価額相当額とする。

(2) 有価証券の取得価額（令119）

株式移転完全子法人株式の株式移転直前の帳簿価額に交付費用を加算した金額とする。

2．株式移転完全子法人　重要度◎

処理なし

3．株式移転完全親法人

重要度◎

(1) **有価証券の取得価額**（令119）

次の区分に応じてそれぞれに定める金額とする。

① 株式移転完全子法人の株主が50人未満の場合

… 株式移転完全子法人株式の適格株式移転直前の帳簿価額に取得費用を加算した金額

② 株式移転完全子法人の株主が50人以上の場合

… 株式移転完全子法人の前事業年度終了の時の資産の帳簿価額から負債の帳簿価額を減算した金額（その終了の時から適格株式移転直前の時までに資本金等の額又は利益積立金額が増減した場合には、増加した金額を加算し又は減少した金額を減算した金額）に取得費用を加算した金額

(2) **資本金等の額の増加額**（令８）

次の金額の合計額が資本金等の額の増加額となる。

① 株式移転により増加する資本金の額

② 株式移転により移転を受けた株式移転完全子法人株式の取得価額からその移転時の資本金の額等を減算した金額

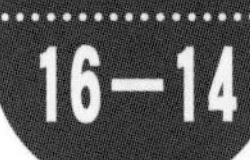

非適格現物分配（残余財産の分配等以外）

1．現物分配法人　重要度◎

(1) 利益積立金額の減少額（令９）

剰余金の配当（資本剰余金の額の減少に伴うもの並びに分割型分割及び株式分配を除く。）等の額として株主等に交付する金銭の額等の合計額（非適格現物分配の場合、金銭以外の資産の価額）

(2) 移転資産の譲渡損益（法22等）

内国法人が現物分配により被現物分配法人その他の者にその有する資産の移転をしたときは、現物分配時（配当の効力発生日）の価額による譲渡をしたものとして、各事業年度の所得の金額を計算する。

2．被現物分配法人　重要度◎

(1) 受取配当等の益金不算入（法23）

(2) 取得した資産の取得価額

取得の時におけるその取得のために通常要する価額とする。

(3) その他

所得税額控除など

テーマ16　企業組織再編成等　ランク**A**

16－15 適格現物分配（残余財産の分配等以外）

1．現物分配法人　重要度◎

(1) 利益積立金額の減少額（令9）

剰余金の配当（資本剰余金の額の減少に伴うもの並びに分割型分割及び株式分配を除く。）等の額として株主等に交付する金銭の額等の合計額（適格現物分配の場合、金銭以外の資産の交付直前の帳簿価額）

(2) 移転資産の譲渡損益（法62の5③）

内国法人が適格現物分配により被現物分配法人にその有する資産の移転をしたときは、適格現物分配直前の帳簿価額による譲渡をしたものとして、各事業年度の所得の金額を計算する。

2．被現物分配法人　重要度◎

(1) 益金不算入（法62の5④）

内国法人が適格現物分配により資産の移転を受けたことにより生ずる収益の額は、各事業年度の益金の額に算入しない。

(2) 利益積立金額の増加額（令9）

適格現物分配により現物分配法人から交付を受けた資産の帳簿価額に相当する金額

(3) 取得した資産の取得価額（令123の6）

現物分配法人の適格現物分配直前の帳簿価額相当額とする。

3．適格現物分配の意義（法2十二の十五）　重要度◎

内国法人を現物分配法人とする現物分配のうち、その現物分配により資産の移転を受ける者がその現物分配の直前においてその内国法人との間に完全支配関係がある内国法人（普通法人又は協同組合等に限る。）のみであるものをいう。

16−16 非適格現物分配（残余財産の分配等）

1．現物分配法人（移転資産の譲渡損益）（法62の５①②）　重要度◎

(1) 時価による譲渡

内国法人が残余財産の全部の分配等（適格現物分配を除く。）により被現物分配法人その他の者にその有する資産の移転をするときは、残余財産の確定の時の価額による譲渡をしたものとして、各事業年度の所得の金額を計算する。

(2) 譲渡損益の計上時期

残余財産の全部の分配等により被現物分配法人その他の者に移転をする資産の譲渡利益額又は譲渡損失額は、その残余財産の確定の日の属する事業年度の益金の額又は損金の額に算入する。

2．被現物分配法人　重要度◎

(1) みなし配当（法24）

法人の株主等である内国法人がその法人の解散による残余財産の分配により金銭等の交付を受けた場合において、その金銭の額等の合計額（非適格現物分配の場合、金銭以外の資産の価額）がその法人の資本金等の額のうちその交付の基因となった株式等に対応する部分の金額を超えるときは、その超える部分の金額は、配当等の額とみなす。

(2) 受取配当等の益金不算入（法23）

(3) 取得した資産の取得価額

取得の時におけるその取得のために通常要する価額とする。

(4) 有価証券の譲渡損益（法61の２）

内国法人が有価証券の譲渡をした場合には、その譲渡に係る譲渡利益額又は譲渡損失額（①と②の差額をいう。）は、その譲渡契約日等の属する事業年度の益金の額又は損金の額に算入する。

① その有価証券の譲渡の時における有償による譲渡により通常得べき対価の額（みなし配当の額を除く。）

② その有価証券の譲渡原価の額（１単位当たりの帳簿価額×譲渡をした有価証券の数）

(5) その他

所得税額控除など

(MEMO)

16−17 適格現物分配（残余財産の分配等）

1．現物分配法人（移転資産の譲渡損益）（法62の5③）　重要度◎

内国法人が残余財産の全部の分配である適格現物分配により被現物分配法人にその有する資産の移転をしたときは、残余財産の確定の時の帳簿価額による譲渡をしたものとして、各事業年度の所得の金額を計算する。

2．被現物分配法人　重要度◎

(1) みなし配当（法24）

法人の株主等である内国法人がその法人の解散による残余財産の分配により金銭等の交付を受けた場合において、その金銭の額等の合計額（適格現物分配の場合、金銭以外の資産の帳簿価額）がその法人の資本金等の額のうちその交付の基因となった株式等に対応する部分の金額を超えるときは、その超える部分の金額は、配当等の額とみなす。

(2) 益金不算入（法62の5④）

内国法人が適格現物分配により資産の移転を受けたことにより生ずる収益の額は、各事業年度の益金の額に算入しない。

(3) 利益積立金額の増加額（令9）

適格現物分配により現物分配法人から交付を受けた資産の帳簿価額に相当する金額（上記(1)の株式等に対応する部分の金額を除く。）

(4) 取得した資産の取得価額（令123の6）

現物分配法人の残余財産確定時の帳簿価額相当額とする。

(5) 有価証券の譲渡損益（法61の2）

① 原　則

内国法人が有価証券の譲渡をした場合には、その譲渡に係る譲渡利益額又は譲渡損失額（イとロの差額をいう。）は、その譲渡契約日等の属する事業年度の益金の額又は損金の額に算入する。

イ　その有価証券の譲渡の時における有償による譲渡により通常得べき対価の額（みなし配当の額を除く。）

ロ　その有価証券の譲渡原価の額（1単位当たりの帳簿価額×譲渡をした有価証券の数）

② 特　例

内国法人が、所有株式を発行した他の内国法人（その内国法人との間に完全支配関係があるものに限る。）のみなし配当事由により金銭等の交付を受けた場合等（当該他の内国法人の残余財産の分配を受けないことが確定した場合を含む。）の譲渡対価の額は、譲渡原価の額相当額とする。

(6) 資本金等の額の減少額（令8）

みなし配当事由によりその法人との間に完全支配関係がある他の内国法人から金銭等の交付を受けた場合等（当該他の内国法人の残余財産の分配を受けないことが確定した場合を含む。）のみなし配当の額及びそのみなし配当事由に係る有価証券の譲渡対価の額とされる金額の合計額からその金銭の額等の合計額（適格現物分配の場合、金銭以外の資産の帳簿価額）を減算した金額に相当する金額

3．適格現物分配の意義（法2十二の十五）　重要度◎

内国法人を現物分配法人とする現物分配のうち、その現物分配により資産の移転を受ける者がその現物分配の直前においてその内国法人との間に完全支配関係がある内国法人（普通法人又は協同組合等に限る。）のみであるものをいう。

留意点　解散に伴う主な取扱い

【解散法人（分配法人）】

1．**事業年度の特例**（法14）

次の場合には、その事実が生じた法人の事業年度は、それぞれに定める日に終了し、これに続く事業年度は、(2)を除き、同日の翌日から開始するものとする。

(1) 内国法人が事業年度の中途において解散（合併による解散を除く。）をしたこと
… その解散の日

(2) 清算中の法人の残余財産が事業年度の中途において確定したこと
… その残余財産の確定の日

2．**欠損金の損金算入**（短縮版）

内国法人が解散した場合において、残余財産がないと見込まれるときは、その清算中に終了する事業年度前の各事業年度において生じた一定の欠損金額は、その事業年度の損金の額に算入する。

ただし、損金算入額はこの規定の適用前の所得金額を限度とする。

3．**残余財産の分配等**

(1) **金銭による分配の場合**
（取扱規定なし）

(2) **現物分配の場合**
テーマ16（企業組織再編成等）16－16　16－17　参照

4．**事業税の損金算入**（法62の５⑤）

内国法人の残余財産の確定の日の属する事業年度の事業税の額等は、その事業年度の損金の額に算入する。

5．**確定申告書**（法74①②）

内国法人は、残余財産の確定の日の属する事業年度終了の日の翌日から１月以内（その翌日から１月以内に残余財産の最後の分配等が行われる場合には、その行われる日の前日まで）に、税務署長に対し、確定した決算に基づき、確定申告書を提出しなければならない。

【株主法人（被分配法人）】

1．残余財産の分配等

(1) 金銭による分配の場合

① 完全支配関係がない場合

テーマ５（受取配当等）［５－４］ 参照

② 完全支配関係がある場合

（テーマ17（グループ法人税制）［17－３］２．４．）参照

イ　みなし配当（解散）

ロ　受取配当等の益金不算入（完全子法人株式等）

ハ　有価証券の譲渡損益

ニ　資本金等の額の減少額

(2) 現物分配の場合

テーマ16（企業組織再編成等）［16－16］ ［16－17］ 参照

2．その他の規定

（テーマ17（グループ法人税制）［17－３］ ３．～５．）参照

(1) 完全支配関係がある場合の株式等の評価損計上禁止

(2) 残余財産の分配を受けない場合の株式等及び資本金等の額

(3) 完全支配関係がある場合の欠損金の引継ぎ及び引継制限

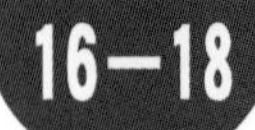

16−18 非適格株式分配

1．現物分配法人　重要度◎

(1) 移転資産の譲渡損益（法22等）

内国法人が株式分配により被現物分配法人その他の株主等にその有する資産の移転をしたときは、株式分配時（配当の効力発生日）の価額による譲渡をしたものとして、各事業年度の所得の金額を計算する。

(2) 資本金等の額の減少額（令８）

現物分配法人の非適格株式分配の直前の資本金等の額に株式分配割合を乗じて計算した金額

(3) 利益積立金額の減少額（令９）

非適格株式分配により交付した完全子法人株式等の価額から減少する資本金等の額を減算した金額

2．被現物分配法人　重要度◎

(1) みなし配当（法24）

① みなし配当

法人の株主等である内国法人がその法人の株式分配（適格株式分配を除く。）により金銭等の交付を受けた場合において、その金銭の額等の合計額がその法人の資本金等の額のうちその交付の基因となった株式等に対応する部分の金額を超えるときは、その超える部分の金額は、配当等の額とみなす。

② 受取配当等の益金不算入（法23）

(2) 有価証券の譲渡損益（法61の２）

① 原　則

内国法人が有価証券の譲渡をした場合には、その譲渡に係る譲渡利益額又は譲渡損失額（イとロの差額をいう。）は、その譲渡契約日等の属する事業年度の益金の額又は損金の額に算入する。

イ　その有価証券の譲渡の時における有償による譲渡により通常得べき対価の額（みなし配当の額を除く。）

ロ　その有価証券の譲渡原価の額（１単位当たりの帳簿価額×譲渡をした有価証券の数）

② 特　例

株式分配の場合には、完全子法人株式に対応する部分の譲渡を行ったものとみなして、譲渡損益額を計算する。

イ　金銭等不交付株式分配以外の場合の譲渡原価の額

… 所有株式の株式分配直前の完全子法人株式対応帳簿価額

ロ　金銭等不交付株式分配の場合の譲渡対価の額及び譲渡原価の額

… 所有株式の株式分配直前の完全子法人株式対応帳簿価額

(3) 有価証券の取得価額（令119）

① 金銭等不交付株式分配の場合

… 現物分配法人株式の株式分配直前の帳簿価額に株式分配割合を乗じて計算した金額にみなし配当の額及び交付費用を加算した金額

② ①以外の場合

… 取得の時におけるその取得のために通常要する価額とする。

(4) その他

所得税額控除など

3．株式分配の意義（法2十二の十五の二）　重要度◎

現物分配のうち、その現物分配の直前において現物分配法人により発行済株式等の全部を保有されていた法人（以下「完全子法人」という。）の発行済株式等の全部が移転するものをいう。

なお、現物分配により完全子法人株式等の移転を受ける者が、その現物分配の直前においてその現物分配法人との間に完全支配関係がある者のみである場合における現物分配を除く。

16−19 適格株式分配

1．現物分配法人　重要度◎

(1) **移転資産の譲渡損益**（法62の5③）

内国法人が適格株式分配により被現物分配法人その他の株主等にその有する資産の移転をしたときは、適格株式分配直前の帳簿価額による譲渡をしたものとして、各事業年度の所得の金額を計算する。

(2) **資本金等の額の減少額**（令8）

適格株式分配により交付した完全子法人株式の帳簿価額相当額

2．被現物分配法人　重要度◎

(1) **有価証券の譲渡損益**（法61の2）

① 内国法人が有価証券の譲渡をした場合には、その譲渡に係る譲渡利益額又は譲渡損失額（イとロの差額をいう。）は、その譲渡契約日等の属する事業年度の益金の額又は損金の額に算入する。

イ　その有価証券の譲渡の時における有償による譲渡により通常得べき対価の額（みなし配当の額を除く。）

ロ　その有価証券の譲渡原価の額（1単位当たりの帳簿価額×譲渡をした有価証券の数）

② 特　例

株式分配の場合には、完全子法人株式に対応する部分の譲渡を行ったものとみなして、譲渡損益額を計算する。

金銭等不交付株式分配の場合の譲渡対価の額及び譲渡原価の額

… 所有株式の株式分配直前の完全子法人株式対応帳簿価額

(2) **有価証券の取得価額**（令119）

現物分配法人株式の株式分配直前の帳簿価額に株式分配割合を乗じて計算した金額に交付費用を加算した金額

3．用語の意義

重要度◎

(1) **株式分配**（法2十二の十五の二）

現物分配のうち、その現物分配の直前において現物分配法人により発行済株式等の全部を保有されていた法人（以下「完全子法人」という。）の発行済株式等の全部が移転するものをいう。

なお、現物分配により完全子法人株式等の移転を受ける者が、その現物分配の直前においてその現物分配法人との間に完全支配関係がある者のみである場合における現物分配を除く。

(2) **適格株式分配**（法2十二の十五の三、令4の3⑯）

完全子法人株式のみが移転する株式分配のうち、完全子法人と現物分配法人とが**独立して事業を行う**株式分配として、次に掲げる要件の全てに該当する株式分配をいう。

なお、完全子法人株式が、現物分配法人の発行済株式等の総数等のうちに占めるその現物分配法人の各株主等の有する株式の数等の割合に応じて交付されるものに限る。

① 株式分配の直前に**現物分配法人**と**他の者**との間に当該**他の者**による**支配関係**がなく、かつ、その株式分配後にその株式分配に係る**完全子法人**と**他の者**との間に当該**他の者**による**支配関係**があることとなることが見込まれていないこと。

② 株式分配前のその株式分配に係る**完全子法人**の**特定役員の全て**がその株式分配に伴って**退任**するものでないこと。

③ 株式分配に係る**完全子法人**のその株式分配直前の**従業者**のうち、その総数のおおむね**80%以上**に相当する数の者がその**完全子法人**の業務に引き続き従事することが見込まれていること。

④ 株式分配に係る**完全子法人**のその株式分配前に行う**主要な事業**がその**完全子法人**において引き続き行われることが見込まれていること。

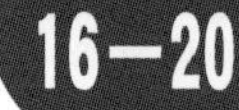

16−20 資産等に係る調整勘定の損金算入等

1．資産調整勘定　重要度◎

(1) 内　容（法62の8①）

内国法人が非適格合併等により被合併法人等から資産又は負債の移転を受けた場合において、非適格合併等対価額が移転を受けた資産及び負債の時価純資産価額を超えるときは、その超える部分の金額のうち一定額は資産調整勘定の金額とする。

(2) 取崩し（法62の8④）

(1)の資産調整勘定の金額を有する内国法人は、次の金額をその事業年度に減額しなければならない。

$$\text{各資産調整勘定の金額に係る当初計上額} \times \frac{\text{その事業年度の月数（注）}}{60}$$

（注）非適格合併等の日の属する事業年度は、同日から事業年度終了の日までの月数

(3) 損金算入（法62の8⑤）

(2)により減額すべきこととなった資産調整勘定の金額は、その減額すべきこととなった日の属する事業年度の損金の額に算入する。

2．負債調整勘定　重要度◎

(1) 内　容（法62の8②③）

① 内国法人が非適格合併等により被合併法人等から資産又は負債の移転を受けた場合において、次に該当するときは、それぞれの金額を負債調整勘定の金額とする。

イ　被合併法人等から引継ぎを受けた従業者につき退職給与債務引受けをした場合 … 退職給与債務引受額

ロ　被合併法人等から移転を受けた事業に係る将来の債務で、その履行がその非適格合併等の日からおおむね３年以内に見込まれるものについて、その履行に係る負担の引受けをした場合 … 短期重要債務見込額

② 内国法人が非適格合併等により被合併法人等から資産又は負債の移転を受けた場合において、非適格合併等対価額が移転を受けた資産及び負債の時価純資産価額に満たないときは、その満たない部分の金額は、負債調整勘定の金額とする。

(2) 取崩し（法62の８⑥⑦）

① **(1)①の負債調整勘定の金額を有する内国法人は、次に該当するときは、その該当することとなった日の属する事業年度にそれぞれの金額を減額しなければならない。**

イ　退職給与引受従業者が退職等によりその内国法人の従業者でなくなった場合又は退職給与引受従業者に対して退職給与を支給する場合

…　退職給与負債調整勘定の金額のうちこれらの退職給与引受従業者に係る部分の金額として一定の金額

ロ　短期重要債務見込額に係る損失が生じ、又は非適格合併等の日から３年が経過した場合

…　短期重要負債調整勘定の金額のうち損失相当額（３年経過の場合にはその短期重要負債調整勘定の金額）

② **(1)②の負債調整勘定の金額を有する内国法人は、次の金額をその事業年度に減額しなければならない。**

$$\text{各負債調整勘定の金額に係る当初計上額} \times \frac{\text{その事業年度の月数（注）}}{60}$$

（注）非適格合併等の日の属する事業年度は、同日から事業年度終了の日までの月数

(3) 益金算入（法62の８⑧）

(2)により減額すべきこととなった負債調整勘定の金額は、その減額すべきこととなった日の属する事業年度の益金の額に算入する。

３．明細書の添付（令123の10）　重要度△

上記１．２．の場合には、確定申告書に明細書を添付しなければならない。

参考　用語の意義（法62の８①）

(1) 非適格合併等対価額

非適格合併等により交付した金銭の額及び金銭以外の資産の価額の合計額をいう。

(2) 非適格合併等

適格でない合併、分割、現物出資若しくは事業の譲受けのうち一定のものをいう。

16－21 組織再編成に伴う欠損金の引継ぎ等

1．欠損金の引継ぎ（法57②③、法58②）　重要度◎

(1) 欠損金の引継ぎ

適格合併が行われた場合には、被合併法人のその適格合併の日前10年以内に開始した各事業年度（以下「前10年内事業年度」という。）において生じた未処理欠損金額は、合併法人において生じた欠損金額とみなす。

(2) 欠損金の引継ぎ制限

(1)の未処理欠損金額（災害損失金額を除く。）には、その被合併法人の支配関係事業年度前の各事業年度で前10年内事業年度に該当する事業年度において生じた欠損金額等は含まないものとする。

ただし、次のいずれかの場合には、この限りでない。

① その適格合併が共同で事業を行うための合併として一定のものに該当する場合

② その被合併法人と合併法人との間に次のうち最も遅い日から継続して支配関係がある場合

イ その適格合併の日の属する事業年度開始の日の５年前の日

ロ その被合併法人又はその合併法人の設立の日

2．欠損金の使用制限（法57④、法58②）　重要度◎

内国法人と支配関係法人との間でその内国法人を合併法人等とする適格組織再編成等が行われた場合（一定期間の支配関係がある場合を除く。）において、その適格組織再編成等が共同で事業を行うための適格組織再編成等として一定のものに該当しないときは、その内国法人のその組織再編成事業年度以後の欠損金の繰越控除については、その内国法人の支配関係事業年度前の各事業年度で前10年内事業年度に該当する事業年度において生じた欠損金額等（災害損失金額を除く。）はないものとする。

3．特定資産の譲渡等損失額の損金不算入（法62の７①）　重要度◎

内国法人と支配関係法人との間でその内国法人を合併法人等とする特定適格組織再編成等が行われた場合（一定期間の支配関係がある場合を除く。）には、その内国法人の対象期間において生ずる特定資産譲渡等損失額は、各事業年度の損金の額に算入しない。

4．用語の意義（法57④、法62の7①②）

重要度◎

(1) 適格組織再編成等

適格合併若しくは適格合併に該当しない合併で完全支配関係がある法人間の取引の適用があるもの、適格分割、適格現物出資又は適格現物分配をいう。

(2) 特定適格組織再編成等

適格組織再編成等のうち、共同で事業を行うための適格組織再編成等として一定のものに該当しないものをいう。

(3) 対象期間

その特定組織再編成事業年度開始の日以後３年を経過する日（その経過する日がその内国法人がその支配関係法人との間に最後に支配関係を有することとなった日以後５年を経過する日後となる場合には、同日）までの期間をいう。

(4) 特定資産譲渡等損失額

次の金額の合計額をいう。

① その内国法人が特定適格組織再編成等により移転を受けた資産でその支配関係法人が支配関係発生日の属する事業年度開始日前から有していたもの（特定引継資産）の譲渡等による損失の額の合計額から利益の額の合計額を控除した金額

② その内国法人が有する資産で支配関係発生日の属する事業年度開始日前から有していた資産（特定保有資産）の譲渡等による損失の額の合計額から利益の額の合計額を控除した金額

プラスα　引継ぎが認められない被合併法人の欠損金額（法57③）

(1) その被合併法人の支配関係事業年度前の各事業年度で前10年内事業年度に該当する事業年度において生じた欠損金額

(2) その被合併法人の支配関係事業年度以後の各事業年度で前10年内事業年度において生じた欠損金額のうち特定資産譲渡等損失額からなる一定の金額

テーマ16

プラスα　特定引継資産等から除かれるもの（令123の８）

(1) 棚卸資産（土地等を除く。）
(2) 短期売買商品等
(3) 売買目的有価証券
(4) 特定適格組織再編成等の日（特定保有資産については、特定適格組織再編成等の日の属する事業年度開始の日）における帳簿価額又は取得価額が1,000万円未満の資産
(5) 支配関係発生日の属する事業年度開始日における価額が同日における帳簿価額を下回っていない資産
(6) 非適格合併により移転を受けた資産で譲渡損益調整資産以外のもの

プラスα　共同で事業を行うための合併として一定のもの（令112）

適格合併のうち、(1)から(4)の要件又は(1)及び(5)の要件に該当するもの。

(1) 事業関連性要件

被合併法人の被合併事業（被合併法人の合併前に行う主要な事業のうちのいずれかの事業）と合併法人の合併事業（合併法人のいずれかの事業）とが相互に関連するものであること。

(2) 事業規模要件

被合併事業と合併事業のそれぞれの売上金額、従業者数、資本金の額等の規模の割合がおおむね５倍を超えないこと。

(3) 被合併事業の事業規模継続要件

被合併事業が最後に支配関係を有することとなった時からその合併の直前の時まで継続して行われており、かつ、支配関係発生時と合併の直前の時における被合併事業の規模の割合がおおむね２倍を超えないこと。

(4) 合併事業の事業規模継続要件

合併事業が最後に支配関係を有することとなった時からその合併の直前の時まで継続して行われており、かつ、支配関係発生時と合併の直前の時における合併事業の規模の割合がおおむね２倍を超えないこと。

(5) 特定役員引継ぎ要件

合併前の被合併法人の特定役員（社長、副社長、代表取締役、専務取締役等又はこれらに準ずる者で経営に従事している者）のいずれかと合併法人の特定役員のいずれかとが、合併後に合併法人の特定役員となることが見込まれていること。

テーマ

17

グループ法人税制

17−1 受贈益・寄附金

1．受贈益の益金不算入（法25の2①）　重要度◎

内国法人がその内国法人との間に完全支配関係（法人による完全支配関係に限る。）がある他の内国法人から受けた受贈益の額は、各事業年度の益金の額に算入しない。

2．寄附金の損金不算入（法37②）　重要度◎

内国法人がその内国法人との間に完全支配関係（法人による完全支配関係に限る。）がある他の内国法人に対して支出した寄附金の額は、各事業年度の損金の額に算入しない。

3．寄附修正事由　重要度◎

(1) 利益積立金額の増加額（令9）

法人が有するその法人との間に完全支配関係がある法人（以下「子法人」という。）の株式等について寄附修正事由が生ずる場合のその受贈益の額に持分割合を乗じて計算した金額からその寄附金の額に持分割合を乗じて計算した金額を減算した金額

(2) 子法人の株式等の帳簿価額（令119の3等）

寄附修正事由が生じた直後の子法人の株式等の帳簿価額は、寄附修正事由が生じた直前の帳簿価額に(1)の金額を加算した金額とする。

4．用語の意義

重要度◎

(1) 受贈益の額（法25の2②③）

① 受贈益の額

受贈益の額は、寄附金、拠出金、見舞金その他いずれの名義をもってするかを問わず、内国法人が金銭その他の資産又は経済的な利益の贈与又は無償の供与を受けた場合におけるその金銭の額若しくは金銭以外の資産のその贈与時の価額又はその経済的な利益のその供与時の価額によるものとする。

ただし、広告宣伝費、見本品費、交際接待費及び福利厚生費とされるべきものは除く。

② 低額譲受け等

内国法人が資産の譲渡又は経済的な利益の供与を受けた場合において、その譲渡又は供与の対価の額がその資産のその譲渡時の価額又はその経済的な利益のその供与時の価額に比して低いときは、その対価の額とその価額との差額のうち実質的に贈与又は無償の供与を受けたと認められる金額は、受贈益の額に含まれるものとする。

(2) 寄附金の額（法37⑦）

テーマ8 8－1（寄附金）参照

(3) 寄附修正事由

子法人が他の内国法人から上記1．の適用がある受贈益の額を受け、又は子法人が他の内国法人に対して上記2．の適用がある寄附金の額を支出したことをいう。

17−2 譲渡損益調整資産

1．損益の繰延べ（法61の11①）　重要度◎

内国法人（普通法人又は協同組合等に限る。）がその有する譲渡損益調整資産を他の内国法人（その内国法人との間に完全支配関係がある普通法人又は協同組合等に限る。）に譲渡した場合には、その譲渡損益調整資産に係る譲渡利益額又は譲渡損失額に相当する金額は、その事業年度（非適格合併の場合、最後事業年度）の損金の額又は益金の額に算入する。

（注）譲渡損益調整資産とは、固定資産、土地等（固定資産に該当するものを除く。）、有価証券、金銭債権及び繰延資産で一定のもの以外のものをいう。

2．損益の計上（法61の11②③）　重要度◎

(1) 譲渡等があった場合

内国法人が上記1.の適用を受けた場合において、譲受法人においてその譲渡損益調整資産の譲渡等その他の一定の事由が生じたときは、その譲渡損益調整資産に係る譲渡利益額又は譲渡損失額に相当する金額として一定の金額は、各事業年度の益金の額又は損金の額に算入する。

(2) 完全支配関係を有しないこととなった場合

内国法人が上記1.の適用を受けた場合（非適格合併の場合を除く。）において、その内国法人が譲受法人との間に完全支配関係を有しないこととなったときは、その譲渡損益調整資産に係る譲渡利益額又は譲渡損失額に相当する金額として一定の金額は、その有しないこととなった日の前日の属する事業年度の益金の額又は損金の額に算入する。

3．非適格合併に係る合併法人の取得価額（法61の11⑦、令119）　重要度△

非適格合併に係る被合併法人がその合併による譲渡損益調整資産の移転につき上記1.の適用を受けた場合の合併法人の取得価額は次のとおりとなる。

(1) 譲渡利益額がある場合

取得の時におけるその取得のために通常要する価額 − その譲渡損益調整資産に係る譲渡利益額相当額

(2) 譲渡損失額がある場合

取得の時におけるその取得のために通常要する価額 ＋ その譲渡損益調整資産に係る譲渡損失額相当額

4．利益積立金額の減少額（令9）

重要度△

上記3.により譲渡損益調整資産の取得価額に算入しない金額から譲渡損益調整資産の取得価額に算入する金額を減算した金額

参考　譲渡損益調整資産（令122の12）

(1) 資産の種類

① 固定資産
② 棚卸資産に該当する土地等
③ 有価証券
④ 金銭債権
⑤ 繰延資産

(2) 適用除外

① 売買目的有価証券
② 譲渡直前帳簿価額が1,000万円未満の資産

その他のグループ法人税制関連規定

1．完全支配関係（法2十二の七の六）　重要度◎

一の者が法人の発行済株式等（自己株式等を除く。）の全部を直接若しくは間接に保有する一定の関係（以下「当事者間の完全支配の関係」という。）又は一の者との間に当事者間の完全支配の関係がある法人相互の関係をいう。

2．受取配当等の益金不算入　重要度◎

(1) 益金不算入（法23①）

内国法人が完全子法人株式等に係る配当等の額を受けるときは、その配当等の額は、各事業年度の益金の額に算入しない。

(2) 完全子法人株式等の意義（法23⑤）

配当等の額の計算期間を通じて完全支配関係がある他の内国法人の株式等をいう。

(3) 計算期間

次の①から②までの期間等をいう。

①　その配当等の前に最後にされた配当等の基準日等の翌日

②　その配当等の額に係る基準日等

3．評価損計上禁止（法33⑤）　重要度◎

内国法人が完全支配関係がある他の内国法人で清算中のもの等の株式等を有する場合におけるその株式等については、災害等の場合、会社更生法等の場合及び民事再生法等の場合における評価損の損金算入の規定は、適用しない。

4．有価証券の譲渡等　重要度◎

(1) 有価証券の譲渡損益（法61の2）

①　原　則

内国法人が有価証券の譲渡をした場合には、その譲渡に係る譲渡利益額又は譲渡損失額（イとロの差額をいう。）は、その譲渡契約日等の属する事業年度の益金の額又は損金の額に算入する。

イ　その有価証券の譲渡の時における有償による譲渡により通常得べき対価の額（みなし配当の額を除く。）

ロ　その有価証券の譲渡原価の額（1単位当たりの帳簿価額×譲渡をした有価証券の数）

② 特　例

内国法人が、所有株式を発行した他の内国法人（その内国法人との間に完全支配関係があるものに限る。）のみなし配当事由により金銭等の交付を受けた場合等（当該他の内国法人の残余財産の分配を受けないことが確定した場合を含む。）の譲渡対価の額は、譲渡原価の額相当額とする。

(2) 資本金等の額の減少額（令8）

みなし配当事由によりその法人との間に完全支配関係がある他の内国法人から金銭等の交付を受けた場合等（当該他の内国法人の残余財産の分配を受けないことが確定した場合を含む。）のみなし配当の額及びそのみなし配当事由に係る有価証券の譲渡対価の額とされる金額の合計額からその金銭の額等の合計額を減算した金額に相当する金額

5．残余財産が確定した場合（法57②③、法58②）　重要度◎

(1) 欠損金の引継ぎ

内国法人との間に完全支配関係がある他の内国法人でその内国法人が発行済株式等の全部若しくは一部を有するものの残余財産が確定した場合には、当該他の内国法人のその残余財産の確定の日の翌日前10年以内に開始した各事業年度（以下「前10年内事業年度」という。）において生じた未処理欠損金額（当該他の内国法人に株主等が2以上ある場合には、次の金額）は、その内国法人において生じた欠損金額とみなす。

$$\text{未処理欠損金額} \times \frac{\text{内国法人の有する当該他の内国法人の株式等}}{\text{当該他の内国法人の発行済株式等（その有する自己株式等を除く。）}}$$

(2) 欠損金の引継ぎ制限

(1)の未処理欠損金額（災害損失金額を除く。）には、当該他の内国法人の支配関係事業年度前の各事業年度で前10年内事業年度に該当する事業年度において生じた欠損金額等は含まないものとする。

ただし、当該他の内国法人と内国法人との間に次のうち最も遅い日から継続して支配関係がある場合には、この限りでない。

① その残余財産の確定の日の翌日の属する事業年度開始の日の5年前の日

② 他の内国法人又はその内国法人の設立の日

プラスα　評価損の計上ができない場合（令68の３）

(1) 清算中の内国法人
(2) 解散（合併による解散を除く。）をすることが見込まれる内国法人
(3) 内国法人で当該内国法人との間に完全支配関係がある他の内国法人との間で適格合併を行うことが見込まれるもの

プラスα　引継ぎが認められない欠損金額（法57③）

(1) 当該他の内国法人の支配関係事業年度前の各事業年度で前10年内事業年度に該当する事業年度において生じた欠損金額
(2) 当該他の内国法人の支配関係事業年度以後の各事業年度で前10年内事業年度において生じた欠損金額のうち特定資産譲渡等損失額からなる一定の金額

テーマ

18

グループ通算制度

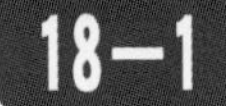

18−1 損益通算及び欠損金の通算のための承認

1．通算承認（法64の９①）　重要度◎

(1) 内国法人が通算制度の適用を受けようとする場合には、その内国法人及びその内国法人との間に完全支配関係がある他の内国法人の全て（親法人及びその親法人による完全支配関係がある他の内国法人に限る。）が、国税庁長官の承認を受けなければならない。

(2) 適用対象法人

① 親法人 … 普通法人又は協同組合等のうち、次のいずれにも該当しない法人

イ　清算中の法人

ロ　普通法人（外国法人を除く。）又は協同組合等との間にその普通法人又は協同組合等による完全支配関係がある法人

ハ　通算制度の取りやめ等の承認を受けた日の属する事業年度終了の日の翌日以後５年を経過する日の属する事業年度終了の日までの期間を経過していないもの

ニ　その他一定の法人

② 他の内国法人 … 上記①ハ、ニの法人等を除く

2．適用方法（法64の９②等）　重要度◎

(1) 申　請

内国法人（親法人及びその親法人による完全支配関係がある他の内国法人に限る。）は、通算承認を受けようとする場合には、その親法人の通算制度の適用を受けようとする最初の事業年度開始の日の３月前の日までに、その親法人及び他の内国法人の全ての連名で、一定の申請書をその親法人の納税地の所轄税務署長を経由して、国税庁長官に提出しなければならない。

(2) 申請の却下

国税庁長官は、通算予定法人のいずれかがその申請を行っていないこと、その他一定の事実があるときは、(1)の申請を却下することができる。

(3) みなし承認

(1)の申請書の提出があった場合において、その適用を受けようとする最初の事業年度開始の日の前日までに通算承認又は却下の処分がなかったときは、親法人及び他の内国法人の全てにつき、その開始の日に通算承認があったものとみなし、同日からその効力を生ずる。

3．通算制度への加入（法64の9⑪）

重要度○

(1) 他の内国法人が通算親法人による完全支配関係を有することとなった場合には、当該他の内国法人については、その完全支配関係を有することとなった日に通算承認があったものとみなし、同日からその効力を生ずるものとする。

(2) 加入時期の特例を受ける場合には、特例決算期間の末日の翌日に通算承認があったものとみなし、同日からその効力を生ずるものとする。

4．通算制度の取りやめ等（法64の10等）

重要度△

(1) 通算法人は、やむを得ない事情があるときは、国税庁長官の承認を受けて通算制度の適用を受けることをやめることができ、この承認を受けた場合には、通算承認は、その承認を受けた日の属する事業年度終了の日の翌日から、その効力を失うものとする。

(2) (1)の承認を受けようとするときは、通算法人の全ての連名で、一定の申請書をその通算親法人の納税地の所轄税務署長を経由して、国税庁長官に提出しなければならない。

(3) 国税庁長官は、(2)の申請書の提出があった場合において、その適用を受けることをやめることにつきやむを得ない事情がないと認めるときは、その申請を却下する。

(4) 次の場合には、通算法人（③、④は通算子法人）については、通算承認は、それぞれの日からその効力を失うものとする。

① 青色申告の承認の取消しの通知を受けた場合 … その通知を受けた日

② 通算親法人の解散 … その解散の日の翌日（合併による解散の場合には、その合併の日）

③ 通算子法人の残余財産の確定 … その確定の日の翌日

④ 通算子法人が通算親法人との間に通算完全支配関係を有しなくなったこと … その有しなくなった日

5．用語の意義（法2）

重要度◎

(1) **通算親法人** … 通算承認に規定する親法人でその承認を受けたもの

(2) **通算子法人** … 通算承認に規定する他の内国法人でその承認を受けたもの

(3) **通算法人** … 通算親法人及び通算子法人

(4) **通算完全支配関係**

… 通算親法人と通算子法人との間の完全支配関係又は通算親法人との間に完全支配関係がある通算子法人相互の関係

18－2 事業年度の特例

1．通算子法人の事業年度の特例（法14③等）　重要度◎

(1) 通算子法人でその通算子法人に係る通算親法人の事業年度開始の時、終了の時にその通算親法人との間に通算完全支配関係があるものの事業年度は、その開始の日に開始し、その終了の日に終了するものとする。

(2) 内国法人の通算子法人に該当する期間については、事業年度の意義の規定は、適用しない。

2．通算制度への加入、離脱に係る事業年度の特例（法14④）　重要度○

次の場合には、その事実が生じた内国法人の事業年度は、それぞれに定める日の前日に終了し、これに続く事業年度は、合併による解散又は残余財産の確定に基因して(2)が生じた場合を除き、それぞれに定める日から開始するものとする。

(1) 内国法人が通算親法人との間に完全支配関係を有することとなったこと
　… その有することとなった日

(2) 内国法人が通算親法人との間に通算完全支配関係を有しなくなったこと
　… その有しなくなった日

3．加入時期の特例（法14⑧）　重要度○

内国法人が、通算親法人との間に完全支配関係を有することとなった場合において、この加入時期の特例の適用がないものとした場合に加入日の前日の属する事業年度に係る確定申告書の提出期限となる日までに、その通算親法人が一定の書類を納税地の所轄税務署長に提出したときは、上記２.(1)は次のとおりとする。

(1) その加入日からその加入日の前日の属する特例決算期間の末日まで継続して通算親法人との間に完全支配関係がある場合
　… その加入日の前日の属する特例決算期間の末日の翌日

(2) (1)以外
　… 適用しない

4．取りやめ等の場合（法14②）

重要度△

通算親法人について、通算制度の取りやめ等の規定により通算承認が効力を失った場合には、その通算親法人であった内国法人の事業年度は、その効力を失った日の前日に終了し、これに続く事業年度は、その効力を失った日から開始するものとする。

参考　特例決算期間

次の期間のうち、3．の書類に記載された期間をいう。

① その内国法人の月次決算期間（会計期間をその開始日以後1月ごとに区分した各期間）

② その内国法人の会計期間

18−3 資産の時価評価損益等

1．開始に伴う資産の時価評価損益（法64の11）　重要度◎

通算承認を受ける内国法人が通算開始直前事業年度終了の時に有する時価評価資産の評価益の額又は評価損の額は、その通算開始直前事業年度の益金の額又は損金の額に算入する。ただし、次のものを除く。

(1) 他の内国法人のいずれかとの間に完全支配関係が継続すると見込まれている場合における親法人

(2) 親法人による完全支配関係が継続することが見込まれている場合における他の内国法人

（注）時価評価資産とは、固定資産、土地等（固定資産に該当するものを除く。）、有価証券、金銭債権及び繰延資産で一定のもの以外のものをいう。

2．加入に伴う資産の時価評価損益（法64の12）　重要度◎

通算承認の適用を受ける他の内国法人が通算加入直前事業年度終了の時に有する時価評価資産の評価益の額又は評価損の額は、その通算加入直前事業年度の益金の額又は損金の額に算入する。ただし、次のものを除く。

(1) 通算法人が通算親法人による完全支配関係がある法人を設立した場合のその法人

(2) 通算法人を株式交換完全親法人とする適格株式交換に係る株式交換完全子法人

(3) 通算親法人による完全支配関係を有することとなった場合（直前に通算親法人による支配関係がある場合に限る。）で、次の要件の全てに該当する場合のその法人（完全支配関係が継続する見込みの場合に限る。）

① 従業者の継続要件

その法人の完全支配関係直前の従業者のおおむね80％以上が、その法人の業務に引き続き従事することが見込まれていること。

② 事業継続要件

その法人の完全支配関係前に行う主要な事業が、その法人において引き続き行われることが見込まれていること。

(4) 通算親法人による完全支配関係を有することとなった場合で、共同で事業を行う場合に該当する場合におけるその法人（完全支配関係が継続する見込みの場合に限る。）

3．適用開始、加入前の欠損金額の切捨て（法57⑥等）　重要度◎

通算法人が時価評価除外法人に該当しない場合には、その通算法人の通算承認の効力が生じた日以後に開始する各事業年度における欠損金の繰越しの規定の適用については、同日前に開始した各事業年度に生じた欠損金額は、ないものとする。

（注）時価評価除外法人とは、通算制度の開始又は加入に伴う資産の時価評価に掲げる法人をいう。

4．適用開始、加入前の欠損金額の制限等（法57⑧、法64の14）　重要度◎

通算法人で時価評価除外法人に該当するものが通算承認の効力が生じた日の5年前の日又は設立の日のうち遅い日からその通算承認の効力が生じた日まで継続して通算親法人（通算親法人の場合、他の通算法人のいずれか）との間に支配関係がある場合に該当しないで、かつ、共同で事業を行う場合として一定の場合に該当しない場合において、通算親法人（通算親法人の場合、他の通算法人）との間に最後に支配関係を有することとなった日（以下「支配関係発生日」という。）以後に新たな事業を開始したときは、次のとおりとする。

(1) 通算承認の効力が生じた日以後に開始する各事業年度については、次の欠損金額はないものとする。

① その通算法人の支配関係事業年度前の各事業年度で通算前10年内事業年度に生じた欠損金額

② その通算法人の支配関係事業年度以後の各事業年度で通算前10年内事業年度に生じた欠損金額のうち特定資産譲渡等損失額からなる一定の金額

(2) 適用期間に生ずる特定資産譲渡等損失額は、損金の額に算入しない。

（注）適用期間とは、通算承認の効力が生じた日と新事業開始事業年度開始の日のいずれか遅い日からその効力が生じた日以後3年を経過する日と支配関係発生日以後5年を経過する日のうちいずれか早い日までの期間をいう。

参考　開始、加入の時価評価資産（法64の11①等）

(1) 資産の種類
① 固定資産
② 棚卸資産に該当する土地等
③ 有価証券
④ 金銭債権
⑤ 繰延資産

(2) 適用除外
① 前５年以内に一定の圧縮記帳等の適用を受けた減価償却資産
② 売買目的有価証券
③ 償還有価証券
④ 資産の帳簿価額が1,000万円に満たない資産
⑤ 含み損益が次の金額に満たない資産
　資本金等の額×１／２ ⎫
　1,000万円 ⎭（少）
⑥ 親法人との間に完全支配関係がある内国法人で清算中のもの等の株式等で含み損があるもの
⑦ その他一定のもの

参考　特定資産譲渡等損失額

次の(1)から(2)を控除した金額をいう。
(1) 通算法人が有する資産（棚卸資産、帳簿価額が少額であるもの等を除く。）で支配関係発生日の属する事業年度開始の日前から有していたもの（特定資産）の譲渡等による損失の額の合計額
(2) 特定資産の譲渡等による利益の額の合計額

参考　共同で事業を行う場合（令131の16）

次の①から④までの要件の全てに該当する場合をいう。

①　事業関連性要件

その法人又完全支配関係がある他の法人のその通算親法人による完全支配関係を有することとなる日（以下「完全支配関係発生日」という。）前に行う事業のうちいずれかの主要な事業（以下「子法人事業」という。）とその通算親法人又は通算完全支配関係がある他の通算法人の完全支配関係発生日前に行う事業のうちいずれかの事業（以下「親法人事業」という。）とが相互に関連するものであること。

②　次のいずれかの要件

イ　事業規模要件

子法人事業と親法人事業のそれぞれの売上金額、従業者数等の規模の割合がおおむね５倍を超えないこと。

ロ　特定役員継続要件

完全支配関係発生日の前日の子法人の特定役員の全てがその通算親法人による完全支配関係を有することとなったことに伴って退任するものでないこと。

③　従業者の継続要件

その法人がその通算親法人による完全支配関係を有することとなる時の直前のその法人の従業者のうち、その総数のおおむね80％以上がその法人の業務に引き続き従事することが見込まれていること。

④　事業継続要件

その法人の完全支配関係発生日前に行う主要な事業がその法人において引き続き行われることが見込まれていること。

18−4 損益通算

1. 損益通算による損金算入（法64の5①）　重要度◎

通算法人の所得事業年度終了の日（以下「基準日」という。）においてその通算法人との間に通算完全支配関係がある他の通算法人の基準日に終了する事業年度において通算前欠損金額が生ずる場合には、その通算法人のその所得事業年度の通算対象欠損金額は、損金の額に算入する。

2. 損益通算による益金算入（法64の5③）　重要度◎

通算法人の欠損事業年度終了の日（以下「基準日」という。）においてその通算法人との間に通算完全支配関係がある他の通算法人の基準日に終了する事業年度において通算前所得金額が生ずる場合には、その通算法人のその欠損事業年度の通算対象所得金額は、益金の額に算入する。

3. 損益通算の遮断措置（法64の5⑤）　重要度◎

上記1.又は2.を適用する場合において、通算事業年度の通算前所得金額又は通算前欠損金額がその通算事業年度の確定申告書に添付された書類に通算前所得金額又は通算前欠損金額として記載された金額（以下「当初申告通算前所得金額」又は「当初申告通算前欠損金額」という。）と異なるときは、当初申告通算前所得金額を通算前所得金額と、当初申告通算前欠損金額を通算前欠損金額と、それぞれみなす。

4. 損益通算の対象となる欠損金額の特例（法64の6）　重要度◎

通算法人（時価評価除外法人に限る。）が通算承認の効力が生じた日の５年前の日又は設立の日のうち遅い日からその通算承認の効力が生じた日まで継続して通算親法人（通算親法人の場合、他の通算法人のいずれか）との間に支配関係がある場合に該当しない場合において、共同で事業を行う場合として一定の場合に該当しないときは、その事業年度の通算前欠損金額のうち適用期間に生ずる特定資産譲渡等損失額に達するまでの金額は、ないものとする。

（注１）適用期間とは、通算承認の効力が生じた日から同日以後３年を経過する日と通算親法人（通算親法人の場合、他の通算法人）との間に最後に支配関係を有することとなった日以後５年を経過する日のうちいずれか早い日までの期間をいう。

（注２）特定資産譲渡等損失額とは、通算法人が有する資産（棚卸資産、帳簿価額が少額であるもの等を除く。）で支配関係発生日の属する事業年度開始の日前から有していたものの譲渡等による損失の額の合計額から譲渡等による利益の額の合計額を控除した金額をいう。

5．用語の意義（法64の５②等）　重要度◎

(1)　所得事業年度

通算前所得金額の生ずる事業年度（その通算法人に係る通算親法人の事業年度終了の日に終了するものに限る。）をいう。

(2)　通算前欠損金額

損益通算前の欠損金額をいう。

(3)　通算対象欠損金額

①他の通算法人の基準日に終了する事業年度の通算前欠損金額の合計額（③を超える場合には超える部分を控除した金額）×（②通算法人の所得事業年度の通算前所得金額）／（③通算法人の所得事業年度及び他の通算法人の基準日に終了する事業年度の通算前所得金額の合計額）

(4)　欠損事業年度

通算前欠損金額の生ずる事業年度（その通算法人に係る通算親法人の事業年度終了の日に終了するものに限る。）をいう。

(5)　通算前所得金額

損益通算及び欠損金の損金算入前の所得金額をいう。

(6)　通算対象所得金額

①他の通算法人の基準日に終了する事業年度の通算前所得金額の合計額（③を超える場合には超える部分を控除した金額）×（②通算法人の欠損事業年度の通算前欠損金額）／（③通算法人の欠損事業年度及び他の通算法人の基準日に終了する事業年度の通算前欠損金額の合計額）

(7)　通算事業年度

通算法人の所得事業年度若しくは他の通算法人の基準日に終了する事業年度又は通算法人の欠損事業年度若しくは他の通算法人の基準日に終了する事業年度をいう。

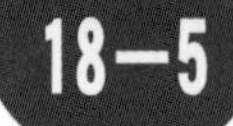

18−5 税率その他の規定

1．税率（法66①等）　重要度◎

通算法人である内国法人に対して課する各事業年度の所得に対する法人税の額は、各事業年度の所得の金額に次の税率を乗じて計算した金額とする。

(1) 普通法人 … 23.2%

(2) 協同組合等 … 19%

(3) 中小通算法人の所得金額のうち軽減対象所得金額以下の金額については15%の税率による。

① この場合において、所得の金額が中小通算法人又は他の中小通算法人の通算事業年度の当初申告所得金額と異なるときは、当初申告所得金額を所得の金額とみなす。

② 通算事業年度のいずれかについて修正申告書の提出又は更正がされる場合において、①の適用をしない場合におけるその通算法人と他の通算法人の所得の金額の合計額が年800万円以下の場合等には、①は適用しない。

2．用語の意義（法66⑥等）　重要度◎

(1) 中小通算法人

大通算法人以外の普通法人である通算法人をいう。

(2) 大通算法人

通算法人である普通法人又はその普通法人の各事業年度終了の日にその普通法人との間に通算完全支配関係がある他の通算法人のうち、いずれかの法人が次の法人に該当する場合のその普通法人をいう。

① 期末資本金の額が１億円を超える法人

② 大法人による完全支配関係がある普通法人その他一定の普通法人

(3) 軽減対象所得金額

$$年800万円 \times \frac{その中小通算法人のその各事業年度の所得の金額}{その中小通算法人のその各事業年度及びその各事業年度終了の日にその中小通算法人との間に通算完全支配関係がある他の中小通算法人の同日に終了する事業年度の所得の金額の合計額}$$

3．その他の主な規定（法25④等）

重要度○

(1) 評価損益の不適用

内国法人が有する他の通算法人（通算親法人等を除く。）の株式等については、会社更生法等の場合及び民事再生法等の場合における評価益の益金算入の規定及び災害等の場合、会社更生法等の場合及び民事再生法等の場合における評価損の損金算入の規定は、適用しない。

(2) 連帯納付の責任

通算法人は、他の通算法人の各事業年度の所得に対する法人税について、連帯納付の責めに任ずる。

(3) 電子申告

特定法人である内国法人は、法人税の申告については、申告書記載事項又は添付書類記載事項を電子情報処理組織を使用する方法により提供することにより、行わなければならない。ただし、その申告のうち添付書類に係る部分については、記録用の媒体を提出する方法により、行うことができる。

（注）特定法人とは、次の法人をいう。

① その事業年度開始の時における資本金の額が１億円を超える法人
② 通算法人（上記①を除く。）
③ 保険業法に規定する相互会社（上記②を除く。）
④ その他一定の法人

参考　慣用語の知識

法律用語については、「慣用語」という特別な意味をもって用いられる言葉がある。条文の意味を正確に理解するためには、そうした「慣用語」について充分な知識を持っていることが要求される。

1　「みなす」

「みなす」⇨本来性質の異なる２つの事物を法律関係のもとでは同一視することをいう。なお、反証は認められない。

> 「みなす」⇨その超える部分の金額は、配当等の額と**みなす**。
> （法24①）

2　「以上」「以下」「超」「未満」

「以上」「以下」⇨基準点となる数量等を含む。
「超」「未満」　⇨基準点となる数量等を含まない。

3　「以前」「以後」「前」「後」

「以前」「以後」⇨基準となる時点を含む。
「前」「後」　　⇨基準となる時点を含まない。

4　「又は」「若しくは」

「又は」　　⇨大きい選択的接続に用いる。
「若しくは」⇨小さい選択的接続に用いる。

> 法令で定めるもの**又は**法人の定款、寄附行為、規則**若しくは**規約（法13①）
>
> 法令で定めるもの
> 法人の定款、寄附行為、規則、規約のいずれか
> ｝のいずれか

5　「及び」「並びに」

「及び」　⇨小さい併合的接続に用いる。

「並びに」⇨大きい併合的接続に用いる。

> 株主等の３人以下**並びに**これらと特殊の関係のある個人**及び**法人が～（法２十）
> （株主等）＋（特殊の関係のある個人と法人）

6　「その他」「その他の」

「Ａその他のＢ」⇨Ａは、Ｂの例示の一つであり、ＡはＢに含まれている。

「Ａその他Ｂ」　⇨Ａは、Ｂに含まれておらず、ＡとＢは並列状態にある。

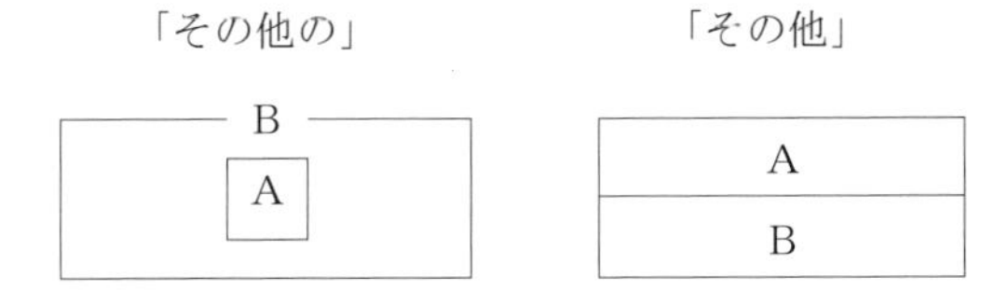

7　「場合」「とき」

「場合」⇨前提条件を示す。前提条件が２つある場合には、大きい前提条件を示す。

「とき」⇨「場合」と同時に用いて、「場合」が大きい前提条件を示すのに対し、「とき」は小さい前提条件を示す。

税理士受験シリーズ

2025年度版　34　法人税法　理論マスター

（昭和60年度版　1985年１月10日　初版　第１刷発行）

2024年８月28日　初　版　第１刷発行

編著者　ＴＡＣ株式会社（税理士講座）
発行者　多田敏男
発行所　ＴＡＣ株式会社　出版事業部（ＴＡＣ出版）
〒101-8383
東京都千代田区神田三崎町3-2-18
電話03(5276)9492(営業)
FAX 03(5276)9674
https://shuppan.tac-school.co.jp
印　刷　株式会社ワコー
製　本　株式会社常川製本

ISBN 978-4-300-11334-9
N.D.C. 336

乱丁・落丁による交換，および正誤のお問合せ対応は，該当書籍の改訂版刊行月末日までといたします。なお，交換につきましては，書籍の在庫状況等により，お受けできない場合もございます。
また，各種本試験の実施の延期，中止を理由とした本書の返品はお受けいたしません。返金もいたしかねますので，あらかじめご了承くださいますようお願い申し上げます。

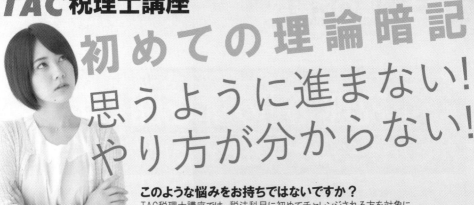

「税理士」の扉を開くカギ

それは、合格できる教育機関を決めること!

あなたが教育機関を決める最大の決め手は何ですか?
通いやすさ、受講料、評判、規模、いろいろと検討事項はありますが、一番の決め手となること、それは「合格できるか」です。
TACは、税理士講座開講以来今日までの40年以上、「受講生を合格に導く」ことを常に考え続けてきました。そして、「最小の努力で最大の効果を発揮する、良質なコンテンツの提供」をもって多数の合格者を輩出し、今も厚い信頼と支持をいただいております。

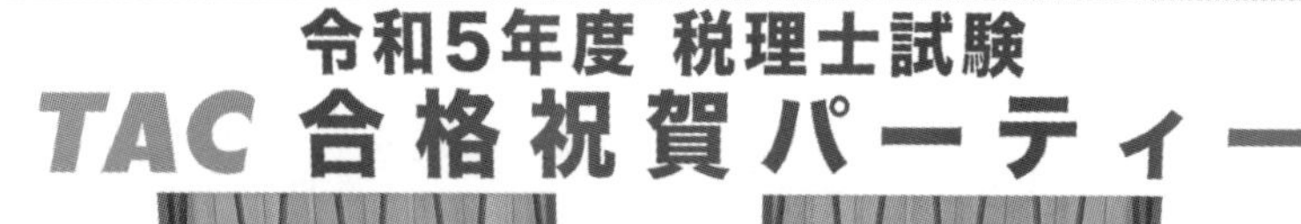

東京会場　ホテルニューオータニ

合格者から「喜びの声」を多数お寄せいただいています。

https://www.tac-school.co.jp/kouza_zeiri/zeiri_jisseki.html

“入学前サポート”を活用しよう!

無料セミナー&個別受講相談

無料セミナーでは、税理士の魅力、試験制度、科目選択の方法や合格のポイントをお伝えしていきます。セミナー終了後は、個別受講相談でみなさんの疑問や不安を解消します。

TAC 税理士 セミナー 検索

https://www.tac-school.co.jp/kouza_zeiri/zeiri_gd_gd.htm

無料Webセミナー

TAC動画チャンネルでは、校舎で開催しているセミナーのほか、Web限定のセミナーも多数配信しています。受講前にご活用ください。

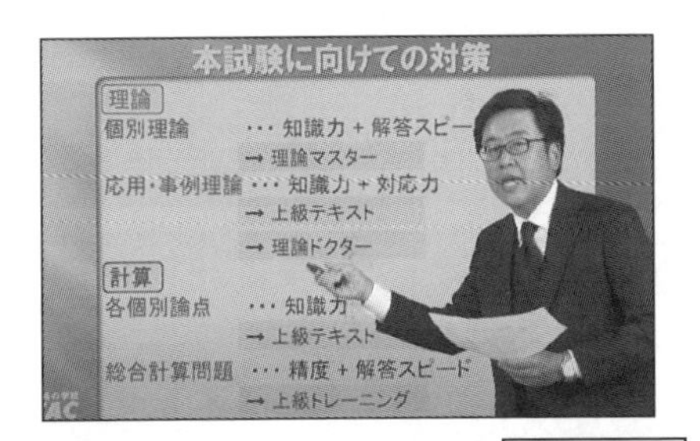

TAC 税理士 動画 検索

https://www.tac-school.co.jp/kouza_zeiri/tacchannel.html

体験入学

教室講座開講日（初回講義）は、お申込み前でも無料で講義を体験できます。講師の熱意や校舎の雰囲気を是非体感してください。

TAC 税理士 体験 検索

https://www.tac-school.co.jp/kouza_zeiri/zeiri_gd_taiken.html

税理士11科目Web体験

「税理士11科目Web体験」では、TAC税理士講座で開講する各科目・コースの初回講義をWeb視聴いただけるサービスです。講義の分かりやすさを確認いただき、学習のイメージを膨らませてください。

TAC 税理士 検索

https://www.tac-school.co.jp/kouza_zeiri/taiken_form.html

税理士講座のご案内

チャレンジコース

受験経験者・独学生待望のコース!

4月上旬開講!

開講科目	簿記・財表・法人 所得・相続・消費

基礎知識の底上げ  **徹底した本試験対策**

チャレンジ講義 ＋ チャレンジ演習 ＋ 直前対策講座 ＋ 全国公開模試

受験経験者・独学生向けカリキュラムが一つのコースに!

※チャレンジコースには直前対策講座(全国公開模試含む)が含まれています。

直前対策講座

5月上旬開講!

本試験突破の最終仕上げ!

直前期に必要な対策が
すべて揃っています!

- 徹底分析!「試験委員対策」
- 即時対応!「税制改正」
- 毎年的中!「予想答練」

※直前対策講座には全国公開模試が含まれています。

学習メディア	教室講座・ビデオブース講座 Web通信講座・DVD通信講座・資料通信講座

＼ 全11科目対応 ／

開講科目	簿記・財表・法人・所得・相続・消費 酒税・固定・事業・住民・国徴

チャレンジコース・直前対策講座ともに詳しくは2月下旬発刊予定の
「チャレンジコース・直前対策講座パンフレット」をご覧ください。

2025年度版 税理士試験対策書籍のご案内

TAC出版では、独学用、およびスクール学習の副教材として、各種対策書籍を取り揃えています。学習の各段階に対応していますので、あなたのステップに応じて、合格に向けてご活用ください!

（刊行内容、発行月、装丁等は変更することがあります）

●2025年度版 税理士受験シリーズ

「税理士試験において長い実績を誇るTAC。このTACが長年培ってきた合格ノウハウを“TAC方式”としてまとめたのがこの「税理士受験シリーズ」です。近年の豊富なデータをもとに傾向を分析、科目ごとに最適な内容としているので、トレーニング演習に欠かせないアイテムです。」

簿記論

No.	科目	書名	発行月
01	簿記論	個別計算問題集	（8月）
02	簿記論	総合計算問題集 基礎編	（9月）
03	簿記論	総合計算問題集 応用編	（11月）
04	簿記論	過去問題集	（12月）
	簿記論	完全無欠の総まとめ	（11月）

財務諸表論

No.	科目	書名	発行月
05	財務諸表論	個別計算問題集	（8月）
06	財務諸表論	総合計算問題集 基礎編	（9月）
07	財務諸表論	総合計算問題集 応用編	（12月）
08	財務諸表論	理論問題集 基礎編	（9月）
09	財務諸表論	理論問題集 応用編	（12月）
10	財務諸表論	過去問題集	（12月）
33	財務諸表論	重要会計基準	（8月）
	※財務諸表論	重要会計基準 暗記音声	（8月）
	財務諸表論	完全無欠の総まとめ	（11月）

法人税法

No.	科目	書名	発行月
11	法人税法	個別計算問題集	（11月）
12	法人税法	総合計算問題集 基礎編	（10月）
13	法人税法	総合計算問題集 応用編	（12月）
14	法人税法	過去問題集	（12月）
34	法人税法	理論マスター	（8月）
	※法人税法	理論マスター 暗記音声	（9月）
35	法人税法	理論ドクター	（12月）
	法人税法	完全無欠の総まとめ	（12月）

所得税法

No.	科目	書名	発行月
15	所得税法	個別計算問題集	（9月）
16	所得税法	総合計算問題集 基礎編	（10月）
17	所得税法	総合計算問題集 応用編	（12月）
18	所得税法	過去問題集	（12月）
36	所得税法	理論マスター	（8月）
	※所得税法	理論マスター 暗記音声	（9月）
37	所得税法	理論ドクター	（12月）

相続税法

No.	科目	書名	発行月
19	相続税法	個別計算問題集	（9月）
20	相続税法	財産評価問題集	（9月）
21	相続税法	総合計算問題集 基礎編	（9月）
22	相続税法	総合計算問題集 応用編	（12月）
23	相続税法	過去問題集	（12月）
38	相続税法	理論マスター	（8月）
	※相続税法	理論マスター 暗記音声	（9月）
39	相続税法	理論ドクター	（12月）

酒税法

No.	科目	書名	発行月
24	酒税法	計算問題+過去問題集	（2月）
40	酒税法	理論マスター	（8月）

書籍の正誤に関するご確認とお問合せについて

書籍の記載内容に誤りではないかと思われる箇所がございましたら、以下の手順にてご確認とお問合せをしてくださいますよう、お願い申し上げます。
なお、正誤のお問合せ以外の**書籍内容に関する解説および受験指導などは、一切行っておりません。**
そのようなお問合せにつきましては、お答えいたしかねますので、あらかじめご了承ください。

1 「Cyber Book Store」にて正誤表を確認する

TAC出版書籍販売サイト「Cyber Book Store」の
トップページ内「正誤表」コーナーにて、正誤表をご確認ください。

CYBER BOOK STORE TAC出版書籍販売サイト

URL:https://bookstore.tac-school.co.jp/

2 1の正誤表がない、あるいは正誤表に該当箇所の記載がない ⇒ 下記①、②のどちらかの方法で文書にて問合せをする

★ご注意ください★

お電話でのお問合せは、お受けいたしません。
①、②のどちらの方法でも、お問合せの際には、「お名前」とともに、
「対象の書籍名(○級・第○回対策も含む)およびその版数(第○版・○○年度版など)」
「お問合せ該当箇所の頁数と行数」
「誤りと思われる記載」
「正しいとお考えになる記載とその根拠」
を明記してください。
なお、回答までに1週間前後を要する場合もございます。あらかじめご了承ください。

① ウェブページ「Cyber Book Store」内の「お問合せフォーム」より問合せをする

【お問合せフォームアドレス】

https://bookstore.tac-school.co.jp/inquiry/

② メールにより問合せをする

【メール宛先 TAC出版】

syuppan-h@tac-school.co.jp

※土日祝日はお問合せ対応をおこなっておりません。
※正誤のお問合せ対応は、該当書籍の改訂版刊行月末日までといたします。

乱丁・落丁による交換は、該当書籍の改訂版刊行月末日までといたします。なお、書籍の在庫状況等により、お受けできない場合もございます。
また、各種本試験の実施の延期、中止を理由とした本書の返品はお受けいたしません。返金もいたしかねますので、あらかじめご了承くださいますようお願い申し上げます。

(2022年7月現在)

ッドから起きて対応しました。

私「どうしましたか？」お隣さん「髙橋さん！　車が水没しかかっているからすぐに移動してください！」私「えっ！　わかりました」

そして私は、寝間着姿で慌てて外に出ると、20分前は普通の道路だった所が川になっていました。

その時、道路は私の膝下まで水がありましたが、そのまま車に乗り込み、水しぶきを上げながら運転して、冠水していない高い場所を探しました。

途中で車のタイヤが空転し、聞いたことがないようなエンジン音を出しながら、どうにか陸地になっていた近くのクリニック駐車場を発見し、そこに車を停めました。

車から降りてあたりを見回すと、四方八方が海のようになっており、私は「もう避難所にはたどり着けないな」と思いました。

そして自宅に残っている妻のことが気になり、電話をして「これから家に戻るよ」と話すと、妻が「家の中に水が入り始めているから、もう玄関扉も開けられないかもしれない！　窓から外に出ようかな！　レスキュー呼ぼうか！」と、不安でいっぱいな様子でした。

そのとき妻が恐怖した理由は、我が家が平屋であるために、2階に避難して一晩をやり過ごそうとは、とても考えられなかったからでした。

半ばパニック状態になっていた妻に、「今から俺が家に戻るから、家の中で待っていてくれ！　絶対に外へ出ちゃだめだ！」私はそう言って、濁流を両脚の後ろから受けて前に倒されそうになりながら、どうにか歩いて自宅に戻りました。

自宅に戻った私を見て、少し冷静さを取り戻した妻と一緒に、必要最小限の荷物を持ち外へ出ました。その時すでに玄関の靴やサンダルが浸水に浮いていました。

自宅外に再び出ると、道路の冠水は更に増えて、私の腰まで、妻は胸のあたりまで水位があり、妻が再び「レスキューに頼もうよ！」と言いました。

しかし私は「レスキュー隊は足腰が不自由なお年寄りの所に行くんだから、俺たちはレスキューなんて呼んじゃダメだ、自分たちで逃げるんだ」と妻に言い聞かせて、先ほど私が自宅に戻ってきた道すじを逆に歩いて、車を避難させたクリニック駐車場に向かいました。

先ほどとは反対に、今度は濁流が私たちの歩く方向の正面から勢いよく当たるので、何度も後ろに倒されそうになり、私は妻の手をしっかり握って歩いて行きました。

47歳で週2回スポーツジムに通っている私でも、濁流に向かって自分の脚を動かすのがとても大変でした。

そして、どうにかクリニック駐車場に停めた車にたどりつき、車の中で、夫婦ずぶ濡れになった身体のまま一晩を過ごしました。

車の中にいる間も、道路の冠水が少しずつ上昇し、恐怖のなか朝まで過ごしました。

私たち夫婦が避難する際は、無我夢中でどうにか濁流の中を歩き抜くことができましたが、今回のようなことが、もし私が高齢になったときに再び起こったら、果たして無事に逃げきることができるだろうか？

そう考えたときに、とてもできない、できるわけがないと切実に思いました。

このたび執筆させていただくにあたり、箱石シツイさんの日ごろからの身体の手入れや食事、そして心がけなどが、ご高齢の方、これから高齢者になる方々にもご参考にしていただくことで、有事の際に「命を守る行動」のお役に立つことができれば甚だ幸いに存じます。

髙橋　洋樹

［付記］

本書売上の一部を被災者団体に寄付いたします。

皆様お一人おひとりのご購入による、ご善意とご協力に心より感謝を申し上げます。

TERILIZER

目次

2019（令和元）年8月22日（木曜日）NHKラジオ深夜便　4：05〜放送より

明日へのことば

「栃木県那珂川町で、100歳を超える
現役の女性理容師さんが開く床屋さんがあります。
箱石シツイさん102歳（著者注・番組放送時）。
戦争でご主人さんを亡くされ、おんな手ひとつでお子さんを育て、
店を切り盛りしてきました。（中略）
令和元年11月10日で103歳になる箱石シツイさん、
地域の方々や家族のすすめもあって、
来年3月の東京オリンピック聖火ランナーに応募したそうです」…

1　箱石シツイさんと著者との出会い

２０１９（平成31）年４月24日（水曜日）のことです。
私は、新聞朝刊の読者投稿の欄を読んでいて、ある記事が目にとまり驚きました。

【１０２歳の現役理容師を私も見習いたいです。栃木県70代　女性美容師】
ある雑誌で１０２歳の女性が理容師を続けている事を知りました。とても驚きました。（中略）私は70歳になったら仕事を辞めようと思いましたが、箱石さんを思うと、まだ続けられそうです。誰もが皆、長い人生の中で苦労はあると思います。私を必要としてくれる人がいるうちは、仕事を続けていきたいと思いました。

１０２歳で今も現役で働いているなんて信じられない。
私が今、仕事として日々行なっている、往療によるマッサージ（通称「訪問マッサージ」。医師の同意書により自宅に訪問施術する）の患者様や、うちの近所にも１００歳を超えて働いている人はいません。
ぜひ一度お目にかかってみたいと思いました。

しかし同じ栃木県内とはいえ、私の自宅栃木市から80㎞も離れていて、所要時間を調べてみると片道２時間30分もかかります。とても気軽に行ける場所ではありません。
本当にすごい人がいるものだと思いましたが、その時は新聞だけ切り抜いて引き出しに入れました。

令和になった5月初旬。いつものように新聞の朝刊チラシを見ていると、
「八溝そば街道そば祭り～那須烏山市 大桶運動公園 5月18日開催」
という見出しが目にとまりました。
（この場所からならば30分かからずに、こないだ新聞に書いてあった１０２歳の理容師さんに会いに行けるな…）そう私は考えました。

２０１９（令和元）年５月18日（土曜日）。

私は妻の美保子と、大桶運動公園で開催の八溝そば街道そば祭りに向かいました。

10時過ぎに到着して妻と八溝そばを食べた後、箱石シツイさんの理容室に向かい到着。玄関左側の掃き出しサッシがあるお部屋に回ると、シツイさんと息子さん夫婦がお昼ご飯を食べておられました。

私は無礼を承知で、

「すみません、新聞の記事を見て、探してまいりました」

と切り出したところ、お食事中にもかかわらず、温和なご様子で私の話を聞いていただきました。
そして「今日これから1時ころ、ＴＢＳが取材に来ますから、もし良かったら見て行かれますか」と、シツイさんとご家族にお誘いいただき、飛び入りながら取材に同席させていただきました。

取材が始まると、シツイさんは白衣に着替えてお客さんの散髪を始めました。
背中がまっすぐで、とても１００歳を超えているとは思えません。
どう見ても70~80代のようです。
調髪後お客様のひげ剃りの様子も、しっかりとした手さばきで仕事をされています。
私は、ただただ驚いて、しばらく無言で見学していました。

本当にすごい！

気が付くと散髪が終わり、シツイさんはカメラの前で自己流体操を始めました。
片足で立ったり、立ったまま蹴飛ばす体操と、でんでん太鼓のように身体を左右に振り回す体操など、私の目の前で驚きの光景がしばらく続きました。

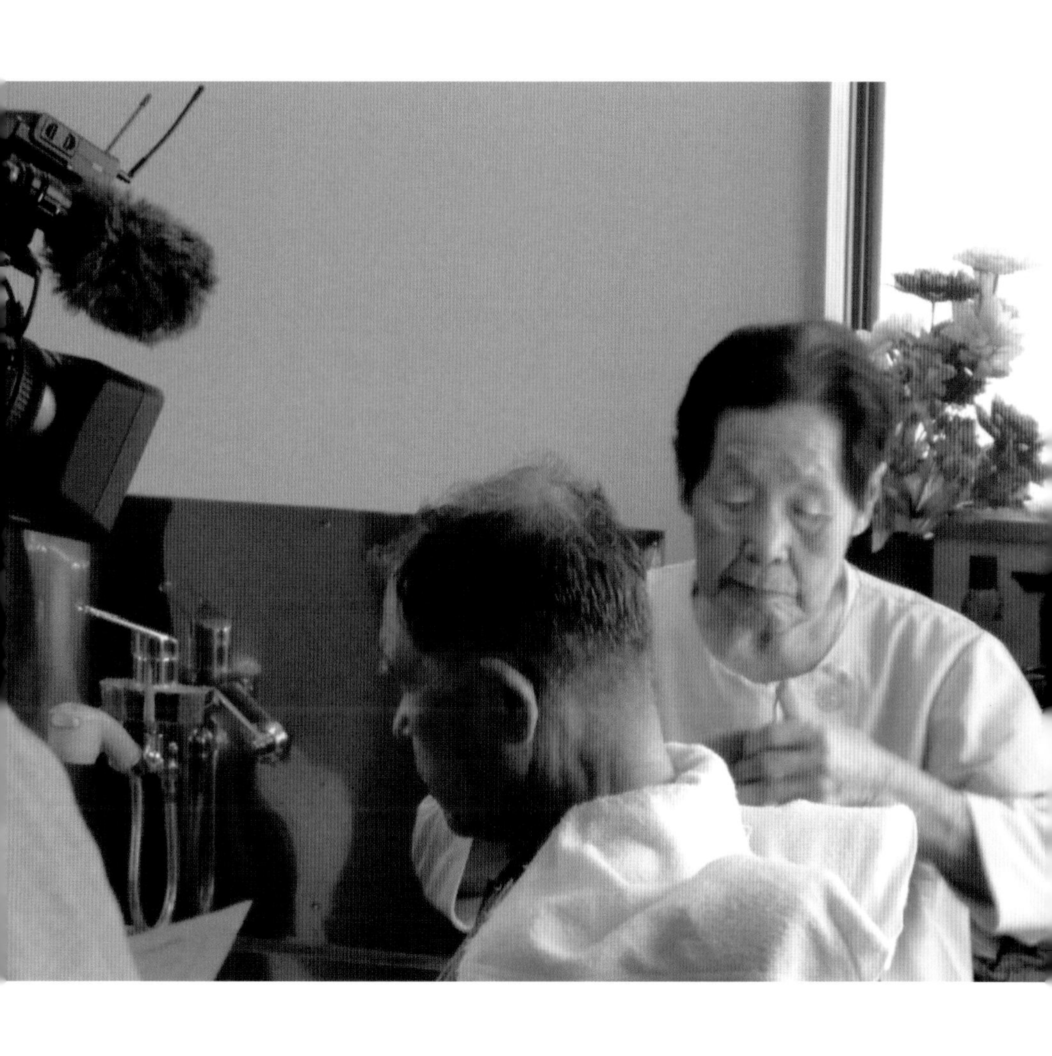

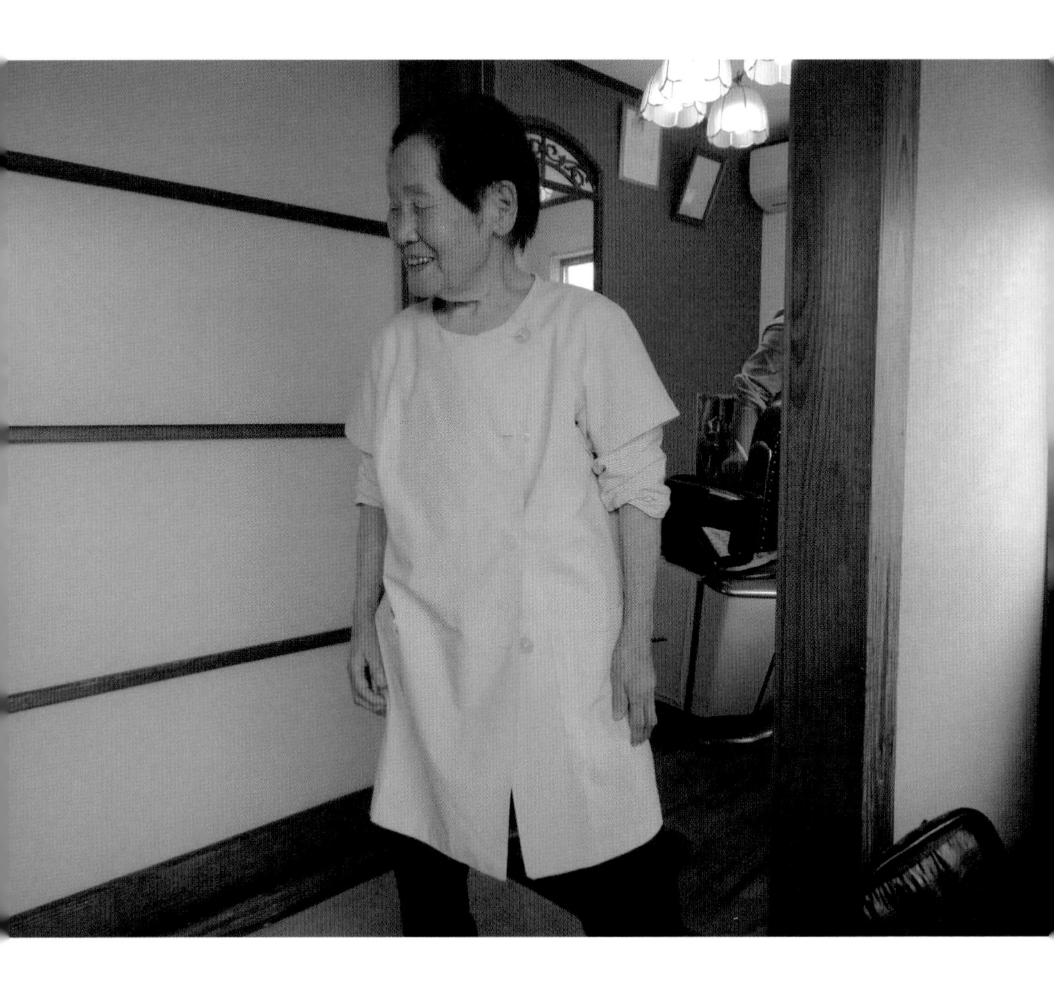

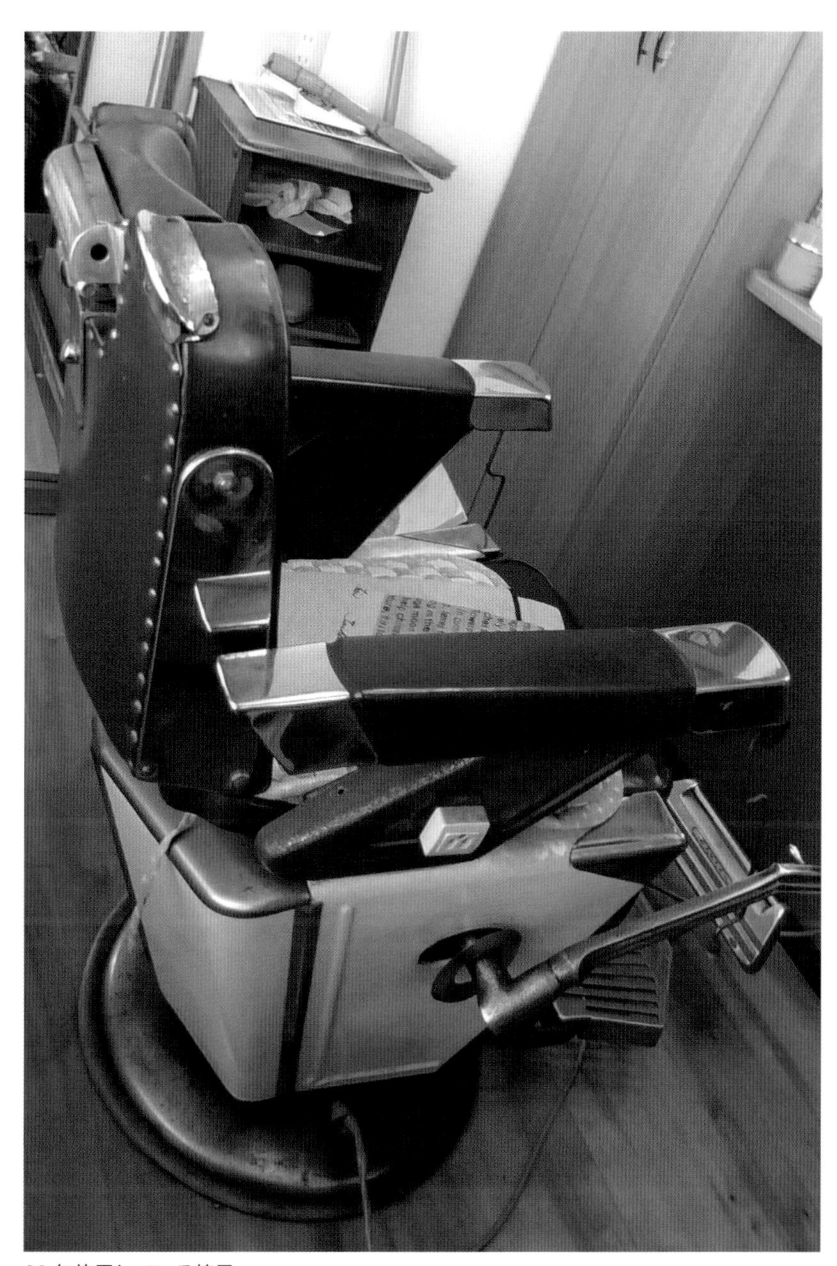

80 年使用している椅子

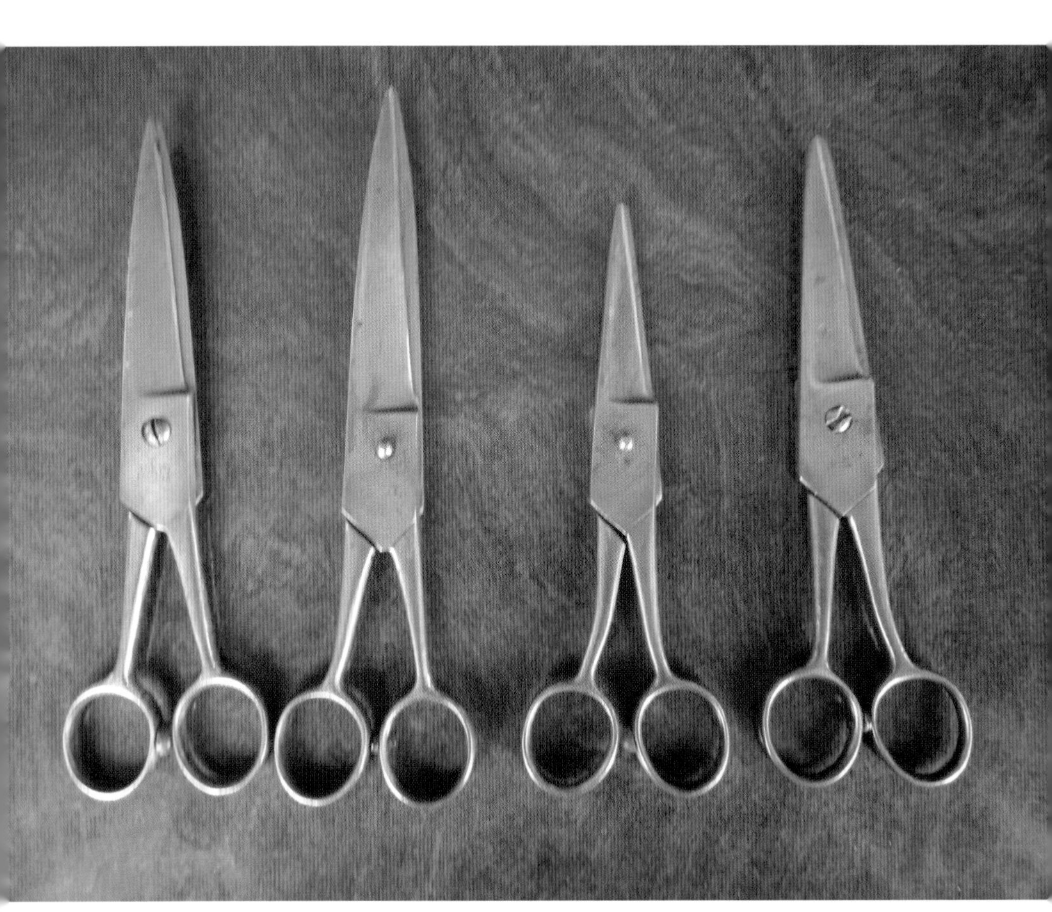

85 年以上研ぎ続けて短くなったハサミ

2　シツイさんの半生

箱石シツイさん（旧姓 齊藤）は、1916（大正5）年11月10日、時代は第一次世界大戦の真っただなか、栃木県那須郡大内村（現・那須郡那珂川町、栃木県東北部）の農家に5人きょうだいの4番目として生まれました。

一番左がシツイさん

シツイさんというお名前の由来は、なんと、出生届を提出したときの手違いでした。

もともと「シズエ」と親きょうだいから呼ばれていましたが、あるとき戸籍を見たら「シツイ」になっていました。

シツイさんのお話では、たぶん親御さんも受け付けた係の方も、お互いに訛っていて「シズエ」が「シツイ」になってしまったのではないか、とのことでした。

シツイさんが小学校を卒業したとき、この村の中学校は5～6㎞も離れた所にあり、身体も小さく自転車に乗れないため、通えませんでした。

そこで親御さんが「何か手に職を付けた方が良いんじゃないか…」と話していたそうです。近所の村長さんの奥さんが和裁を教えてくれることになり、そこで5年くらい教われば、手に職がつくと思っていました。

1年ほど経ったころのことです。近所の人が、

「東京で床屋さんの修行をしてみないか」

と、シツイさんの親御さんに話を持ってこられました。

そのころシツイさんは、毎日着物の糸をほどいて洗い、それを板に伸ばして乾かす仕事が多く、まだ和裁らしいことはできませんでした。

（親が良いというならば、東京で修業をしてみよう）と14歳の時に決心しました。

時代は満州事変のころです。

シツイさんは上京し、東京向島区吾嬬町（現在の東京都墨田区）の理容店で修行を始めました。
その後1936（昭和11）年、19歳になり理容師試験に合格しました。

シツイさんの理容師免許

当時、理容業は警察署の所轄で、年に2回ほど衛生検査に来ていました。
昔はヒゲを剃る際、剃刀（カミソリ）ではなく日本刀を使っていたからです。

西洋カミソリが普及するまでは、鞘の無い刃がむき出しの鉄の刀で髭を剃っていました。
刃こぼれしてきたら砥石で研ぐのが、理容師の修業の第一歩でもあり、切れ味をよみがえらせるための「研ぎ」が命といわれていました。
シツイさんは一所懸命に日本刀を研いでいたた

め、切れ味も良かったといいます。

その後、東京四谷見附の理容店に移って仕事をしていると、常連の女性の方から「自宅に出張して調髪して欲しい」と頼まれました。

このお宅に何度か出張しているうちに「私の甥が床屋をやっているから、一度会ってみませんか」と言われました。

まだ結婚の意思がなかったシツイさんでしたが、その常連さん宅に出張したあるとき、2歳年上の箱石二郎さんが、シツイさんの前に現れました。

話をしてみたら、まじめそうで常識のある人でした。

常連さんに「二郎さんは、シツイさんの真面目さと容姿を気に入ったようですよ」と言われて、シツイさんは結婚を承諾しました。

箱石二郎さん

1939（昭和14）年1月14日、箱石二郎さん25歳、齊藤シツイさん23歳は結婚しました。

シツイさんは、二郎さんと東京新宿下落合に新居兼理容店を構えて、ふたりで店を切り盛りしました。

店は繁盛して子供もすぐに生まれました。
店が忙しくなり始めたころ、長女が麻疹（はしか）にかかり、40度の高熱に見舞われて小児麻痺になりました。
理容店では、「お国のために明日どうなるか分からない」兵隊さんからは、絶対にお金を受け取らない方針でした。
1943（昭和18）年8月に、第2子で長男の英政さんが誕生しました。
その翌年の1944（昭和19）年7月17日、夫・二郎さんに召集令状が届きました。翌日18日に千葉県柏 東部38部隊に入隊し、更にその翌々日20日には満州虎頭県に出征しました。
二郎さんが家を出るということで、大勢の人たちがお見送りにきてくれました。ただ、当時の戦局は既に敗色濃厚で、軍歌を歌ったり万歳をすることはありませんでした。
二郎さんが出発する時間になりましたが、二郎さんは家から出てきませんでした。様子を見にシツイさんが自宅の2階に上がると、二郎さんが2人の子供を抱いて、涙を流していました。
子供と別れるのが辛く、ずっとその場から離れられなかった二郎さんに、シツイさんは「皆さんがお待ちくださっています」そう言うのがやっとだったといいます。
二郎さんは、３歳になり小児麻痺の後遺症が残る長女と、生後10カ月の英政さんをシツイさんに託して１９４４（昭和19）年7月18日、自宅をあとにしました。
その翌日19日に、シツイさんは千葉県柏まで電車に乗って、二郎さんの出征を見送りに行きました。

シツイさんに抱かれる英政さん（１歳）

二郎さんは「子供に会いたかった。のどがカラカラにかわいたよ」と言い、シツイさんは近くの農家に行き、まだ青いトマトを分けてもらって二郎さんに渡しました。
この時が夫婦の最後の別れとなりました。

二郎さんが戦地に行ったあと、シツイさんは長女を実家の両親に預けて、英政さんを育てながら半年間、理容店を守り続けました。

しかし戦局は更に激しくなり、東京大空襲もひどくなってきたため、シツイさんは子供2人と1944年12月に郷里の栃木県那珂川町へ疎開しました。

東京新宿下落合の店は、1945（昭和20）年3月10日の大空襲の時に、焼け落ちてしまいました。

シツイさんと2人の子供は、那珂川町で終戦を迎えました。

二郎さんは、満州の虎頭で1945年8月19日に、戦死しました。

終戦の8月15日から4日後のことでした。虎頭は満州の中でもかなり奥まったところにあり、終戦の報せが届かないうちに、激しい戦闘の中、玉砕したようです。日本が無条件降伏した後も戦闘を継続したソ連軍に包囲されたといわれていますが、二郎さんの死を目撃したという人が見つかっておらず、実際の所はよく分かっていません。

シツイさんは、二郎さんの帰りを家族3人で待ち続けました。

家の横の路地を人が通るたびに、もしかしたら二郎さんかもしれないと、足音に耳を澄ませました。

お父さん、今日帰ってくるかな、明日帰ってくるかな、と待ち続けました。

8年経った1953（昭和28）年夏に、二郎さん戦死の公報が届きました。

その後、二郎さんの遺骨だという木箱が届きましたが、中に入っていたのは木片でした。

シツイさんは生きる気力が失せて、親子3人で心中しようと決めました。

雨戸を閉め、真っ暗になった家の中で、劇薬「猫いらず」を手にして、長女を抱えて座ったその時、当時小学校3年生の英政さんが帰ってきました。
「これから3人で、お父さんの所へいこう」と、シツイさんが言うと、英政さんは、
「死ぬのは嫌だ!!」
と言って、すごい勢いで外へ飛びだしていきました。

シツイさんはこの時、父親が1946(昭和21)年に他界し、その3年後に母親も亡くしていました。二郎さんが戦地から帰ってくることだけが望みでした。
家から外に飛びだしていった英政さんが近所の親戚の家にかけこんで、シツイさんが心中しようとする気持ちを止めてもらいました。危うく子供をあやめてしまうところでしたが、間一髪のところで後悔せずに済みました。

親子心中を思いとどまってすぐ後の1953(昭和28)年、シツイさんは那珂川町で「理容ハコイシ」を開業しました。
椅子と道具一式は、疎開の時に運んでいたので無事でした。鏡は、空襲で焼けた店から、割れて三角形になってしまっていたのを拾ってきたものしかありませんでした。
お店は、「東下り(東京で最新技術を学んでいる)の床屋だから、腕が良い」と評

判になり、座ってご飯を食べる暇もないくらい忙しくなりました。
英政さんがお昼のご飯を作り、シツイさんはそれを、立ったまま食べました。髭を剃るお客さんに蒸しタオルを乗せ、そのタオルが冷めない間に食べるという感じです。噛む時間もないので、骨のある魚とか硬いものは食べませんでした。

また、理容室はシャンプーなどで水をたくさん使うのですが、当時は水道がなかったため、離れた所にあった井戸まで手桶で水を汲みに行きました。この水くみも、当時小学生の英政さんがやってくれました。

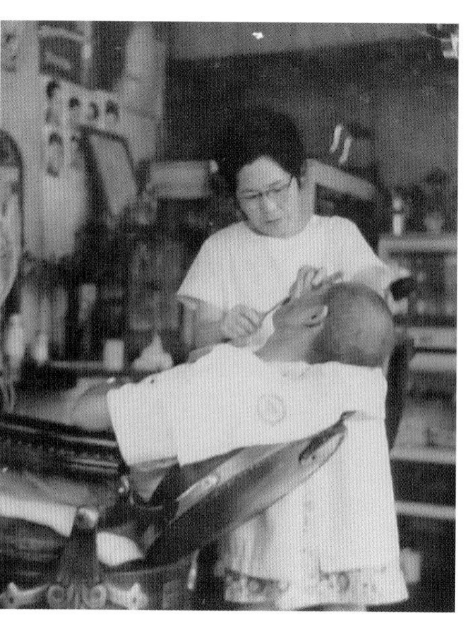

特に昭和37〜38年ころが一番忙しかったそうです。
散髪の他にも、農家のお嫁さんや、お子さんの入学式・卒業式に出席するお母さんの、着物の着付けと化粧を頼まれることも多かったといいま

す。また、亡くなられた方の死化粧をしたこともありました。

身体が不自由であった長女さんは、家族に頼らず独りで生きていく、と言い、18歳の時に家を出て自立されました。

同じころ、英政さんも高校と大学に進学するために家を出ました。以来60年近く、シツイさんはひとり暮らしをしてきました。

2019(平成31)年1月からは、シツイさんは、英政さん夫婦と3人で暮らしています。

シツイさんは毎朝、仏壇に手を合わせて、二郎さんの遺影に向かい「今日も無事に過ごせますよう、見守ってください」とお願いしています。また、夜は「無事に過ごせました。ありがとうございます」とお礼を言って、床に入ります。

そして毎朝起きてからと、寝る前には、自己流の体操を欠かしません。お風呂の中でも体操をします。

あとは毎日本当によく歩かれています。

自宅のすぐ前の体育館の周囲を、何周も歩いています。

3 シツイさんの日課！オリジナル体操

ここで、著者が箱石シツイさんを訪ねていった時に初めて拝見して驚いた、自己流体操をご紹介します。

過去に女性週刊誌にも掲載されたことがありますが、自己流ではあるものの、非常に理にかなった体操です。

元々は肩こりがひどくて70歳のころから始めた体操であり、徐々に下肢の体操が追加されているといいます。

主な体操だけでも20工程ほどありますが、紙媒体で掲載されていない体操も含めると、30工程以上あると私は把握しています。

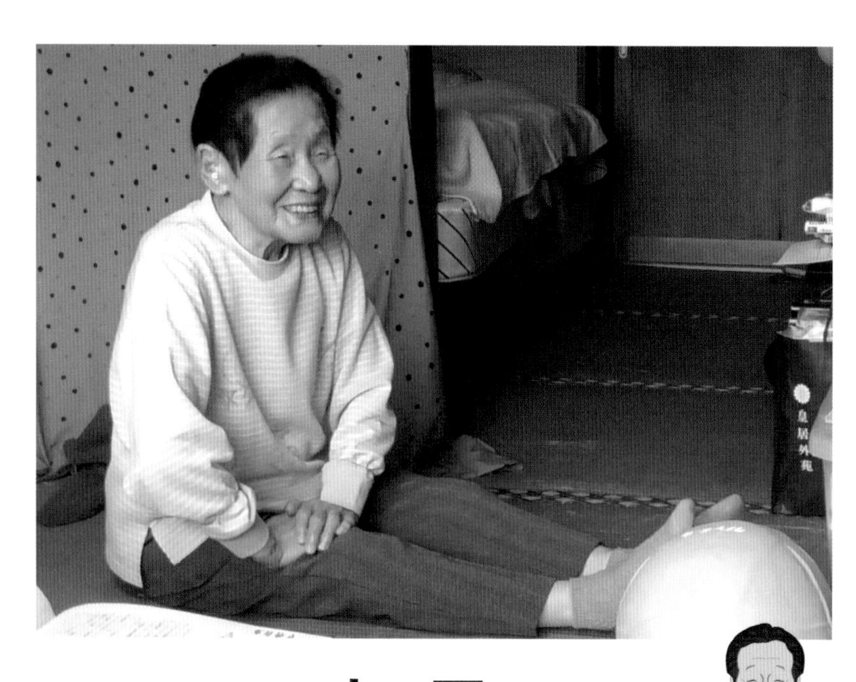

シツイさん
オリジナル体操
1

両手を重ねて、太ももを押す。

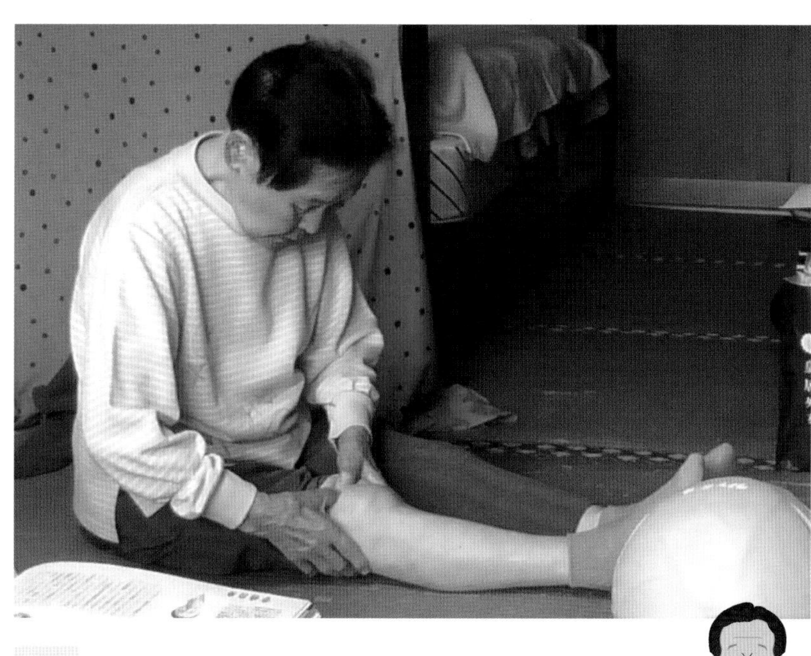

シツイさん
オリジナル体操
2

ヒザまわりを親指で押す。

ツボ 梁丘（りょうきゅう）、血海（けっかい）→P64参照

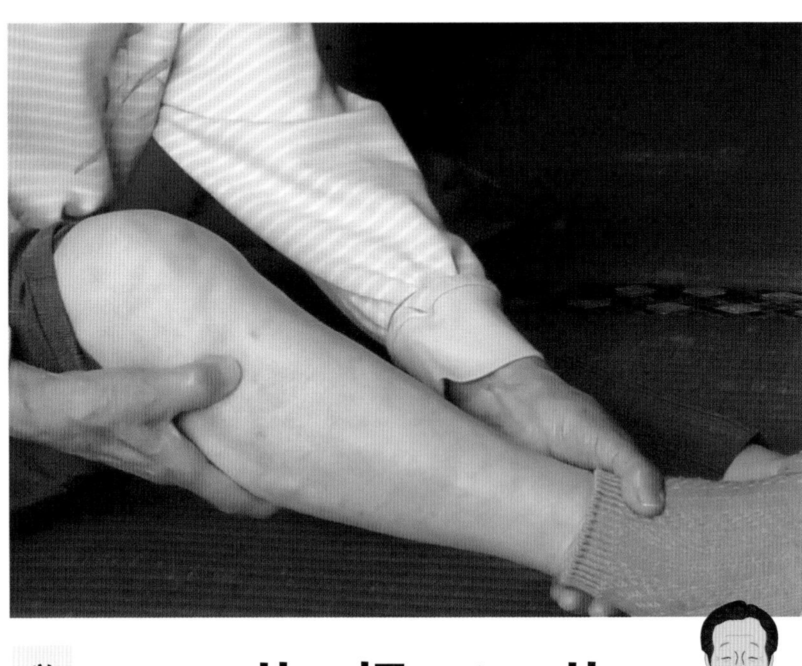

シッツィさんオリジナル体操3

片手でヒザ下のツボ「足三里」を押しながら、片手でアキレス腱をつかんで揉む。

ツボ 足三里（あしさんり）→P65参照

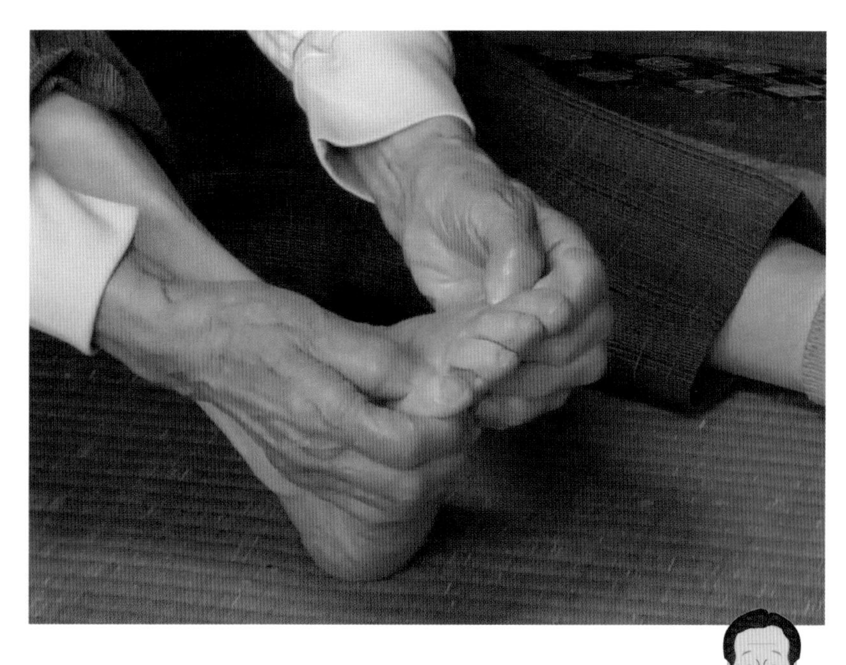

シツイさん
オリジナル体操
4

足の指を
つまむように揉む。

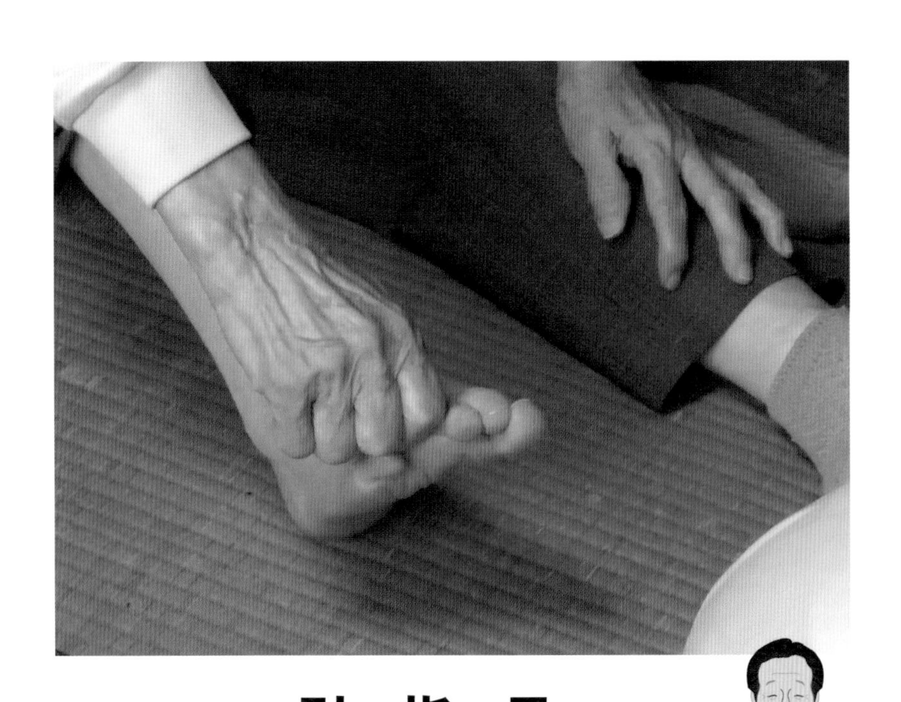

シツイさん
オリジナル体操
5

足指を揉んだあとに、指先をつまんで引っ張る。

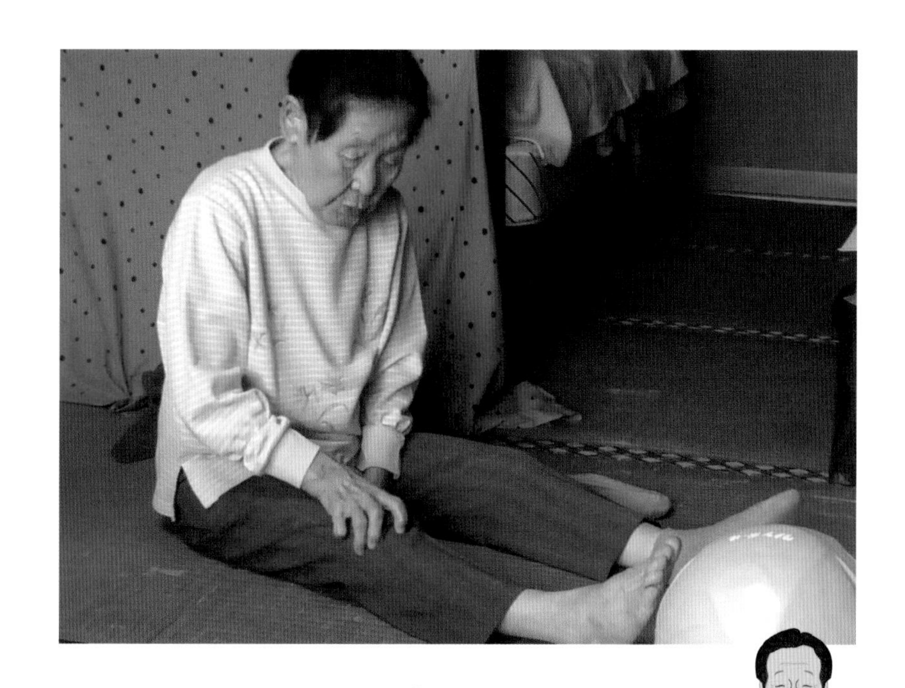

ヒザの皿を動かす。

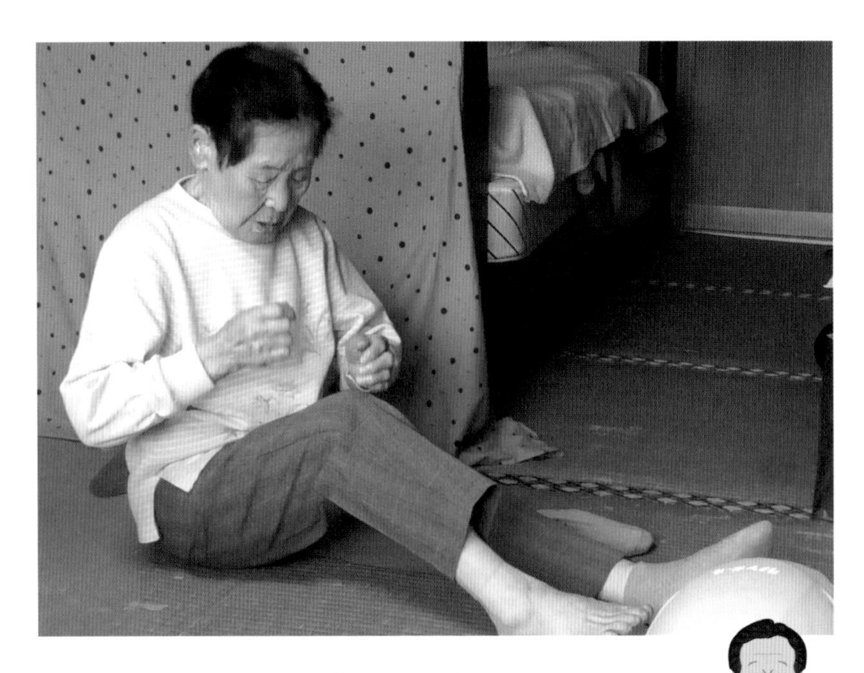

シッイさん
オリジナル体操
7

太ももを握りこぶしでたたく。

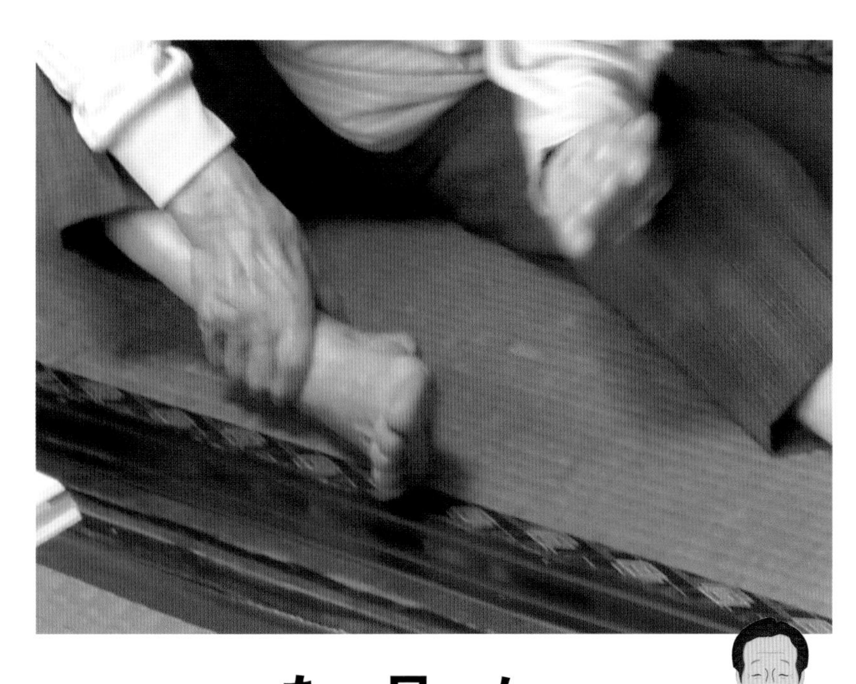

シツイさんオリジナル体操8

かかと、土踏まず、足裏を、握りこぶしでたたく。

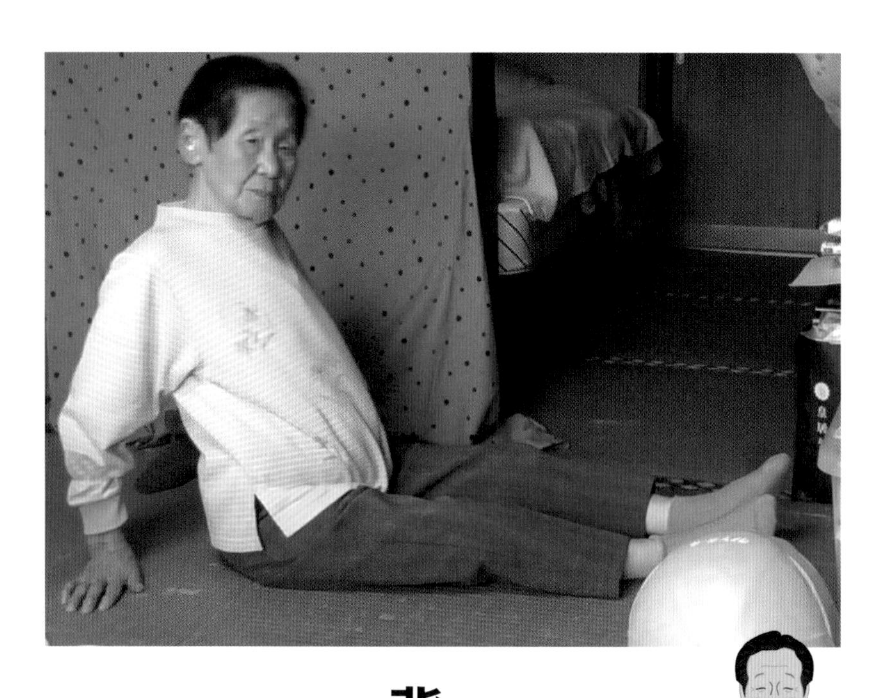

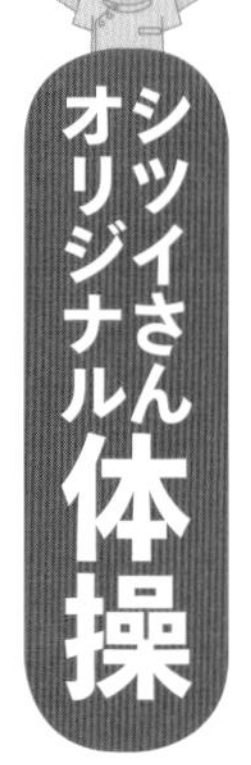

シツイさん
オリジナル体操
9

背中をそらす。

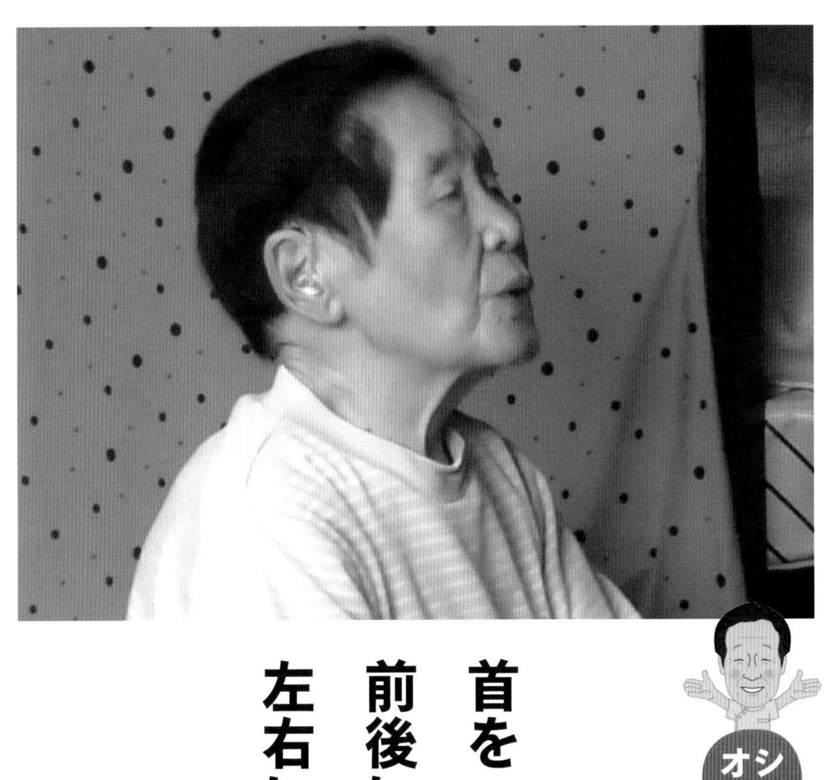

シツイさん
オリジナル体操
10

首を
前後にゆっくり倒す、
左右にゆっくり倒す。

シツイさんオリジナル体操 11

首を時計回りにまわす、反時計回りにまわす。

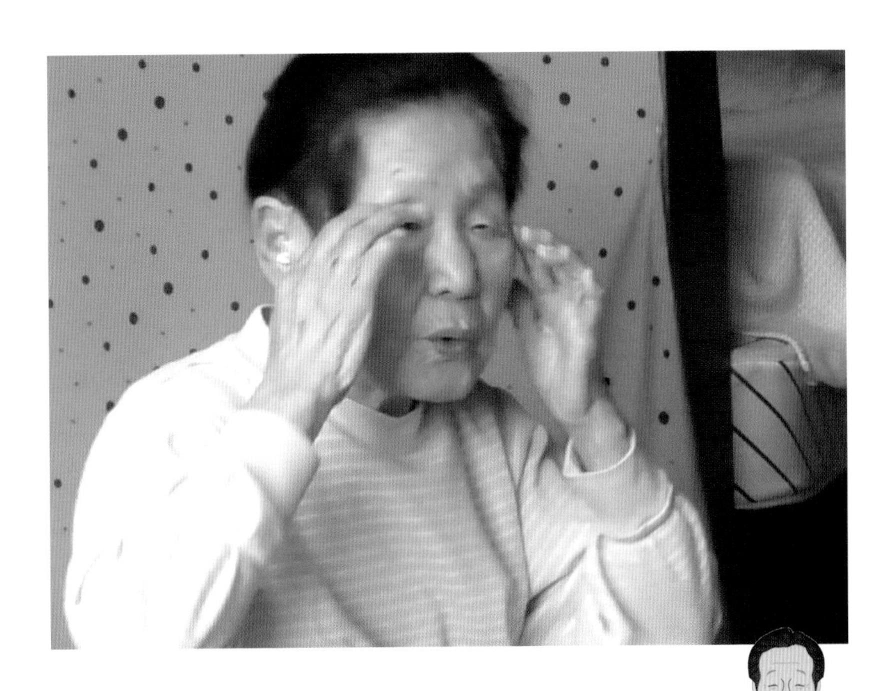

シツイさん
オリジナル体操
12

こめかみを押す。

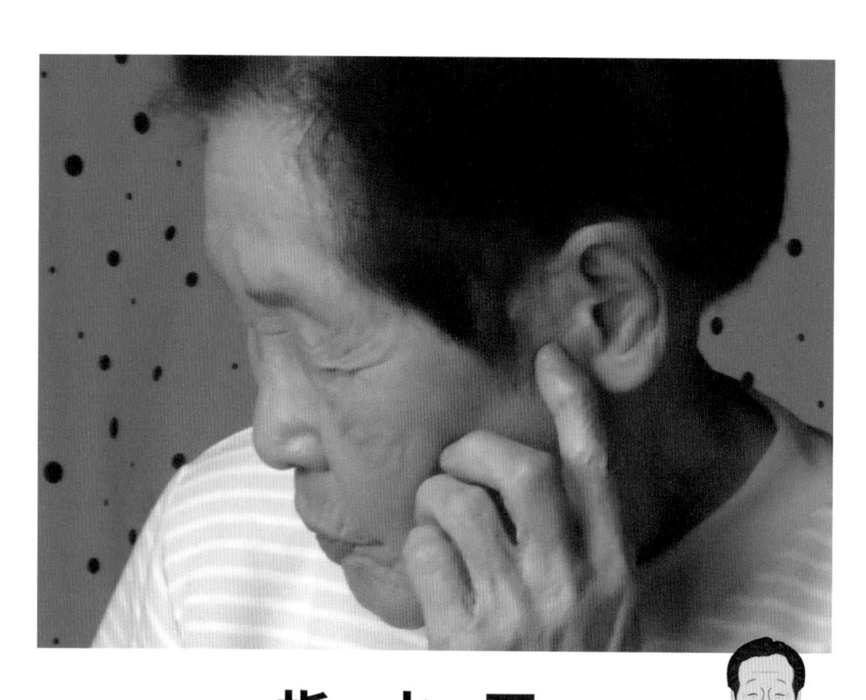

シッツイさん
オリジナル体操
13

耳の穴に指を入れて、水を抜くように指を引っ張る。

シツイさん
オリジナル体操
14

首の真ん中にある、「ぼんのくぼ」を10回押す。

シッイさんオリジナル体操15

えりあしの、
髪の生え際の
くぼみに沿って、
左右に押していく。

ツボ 風池（ふうち）↓P65参照

シツイさん
オリジナル体操
16

髪の生え際から、
首すじを
肩に向かって
下がるように
押していく。

シッイさんオリジナル体操 17

首の背骨の一番下と、肩の外側の骨の中央にある、筋肉の硬いところを押す。

ツボ　肩井（けんせい）↓Ｐ66参照

シツイさんオリジナル体操18

胸の前で握りこぶしを作り、両肘を肩の高さまであげる。そこから胸を大きく開くように、肘を後ろに動かす。

シッイさんオリジナル体操19

18の姿勢のまま、腕をぐるぐると回す。

シツイさん
オリジナル体操
20

両手をそれぞれ
両肩に置き、そこから
指を開きながら、
天に向けて
まっすぐに伸ばす。

シツイさんオリジナル体操 21

両手をそれぞれ両肩に置き、そこから指を開きながら、真横にまっすぐに伸ばす。

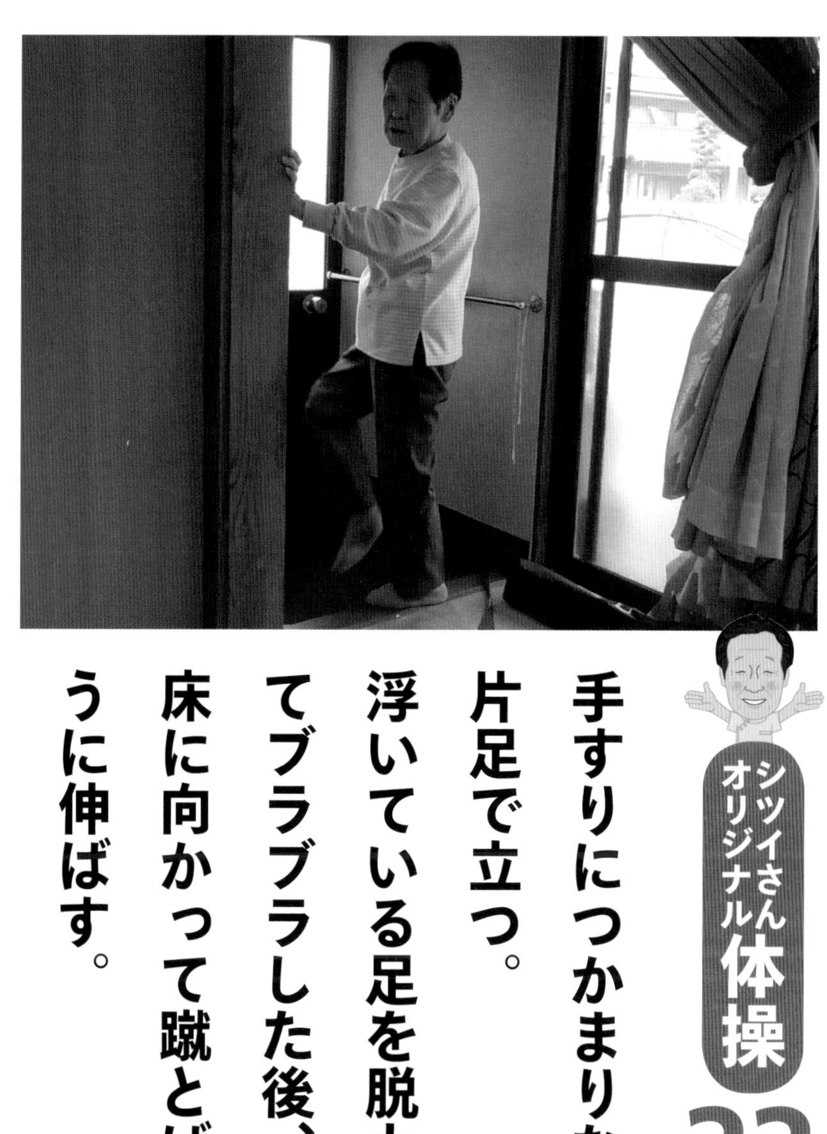

シツイさんオリジナル体操22

手すりにつかまりながら片足で立つ。浮いている足を脱力させてブラブラした後、床に向かって蹴とばすように伸ばす。

シッイさんオリジナル体操
23

手すりにつかまって片足で立つ。前方に伸ばして止める。

シツイさん
オリジナル体操
24

手すりにつかまって
片足で立つ。
後方に伸ばして
止める。

シツイさん
オリジナル体操
25

腕を左右に、でんでん太鼓のように身体をひねる。

甩手（スワイショウ）体操↓P67参照

シツイさん
オリジナル体操
26

手の指の間や、指をつまむように揉む。

ツボ 合谷(ごうこく)↓P66参照

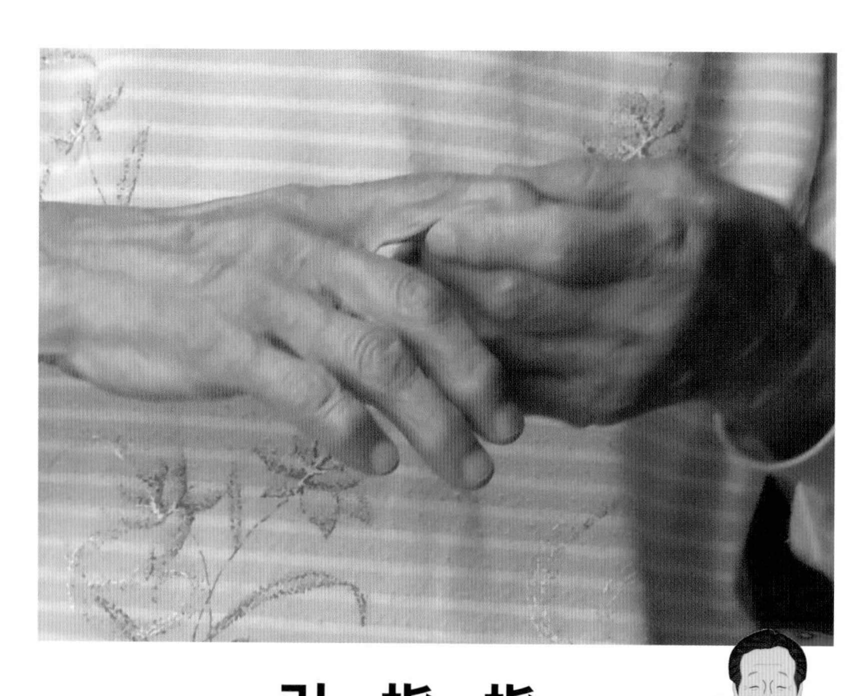

シッイさんオリジナル体操27

指を揉んだあとに、指先をつまんで引っ張る。

シツイさんオリジナル体操28

胸の前で組んだ両手を、手を返しながら真上に伸ばす。

シッイさん
オリジナル体操
29

胸の前で組んだ両手を、
手を返しながら
前に伸ばす。

シツイさんオリジナル体操30

手すりにつかまりながら、両足のかかとを上げる。

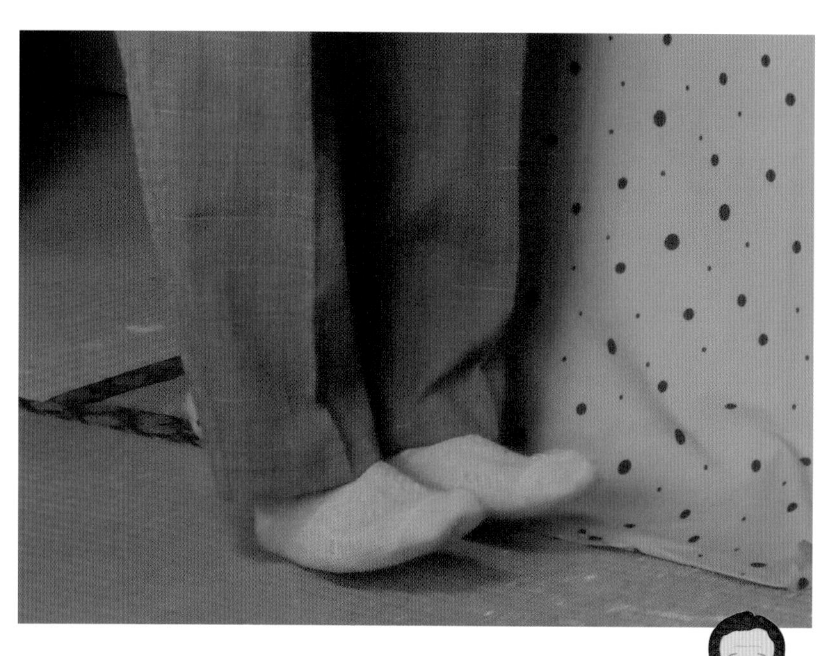

シッイさん
オリジナル体操
31

手すりに
つかまりながら、
両足のつま先を上げる。

シツイさんオリジナル体操 32

舌を、口の中で歯ぐきに沿うように動かす。

4 解説！シツイさんのオリジナル体操

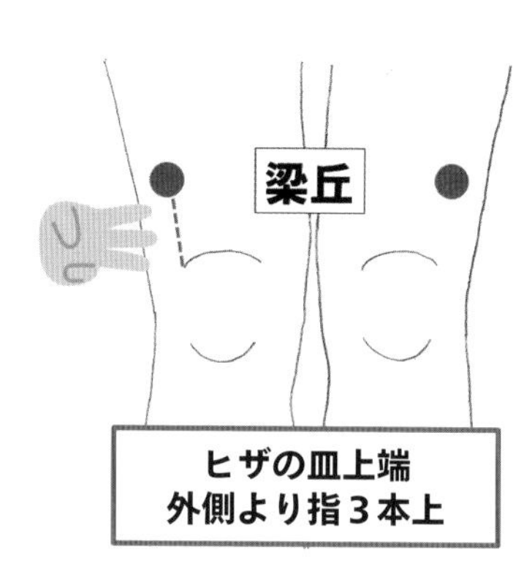

血海

ヒザの皿上端
内側より指３本上

①ツボを刺激する

体操２

・梁丘（りょうきゅう）

ひざの関節痛や腫れなどに効果があります。また、胃疾患のうち、胃痛、胃けいれんなど急性の症状に良く、腹痛や下痢などにも有効です。

・血海（けっかい）

血液の循環を良くして、女性特有の血の症状を改善します。血にまつわる症状は多彩で、頭痛や動悸なども含まれます。月経障害や月経痛、不正出血、むくみ、めまい、耳鳴り、顔面紅潮、不眠、脱力感などに有効

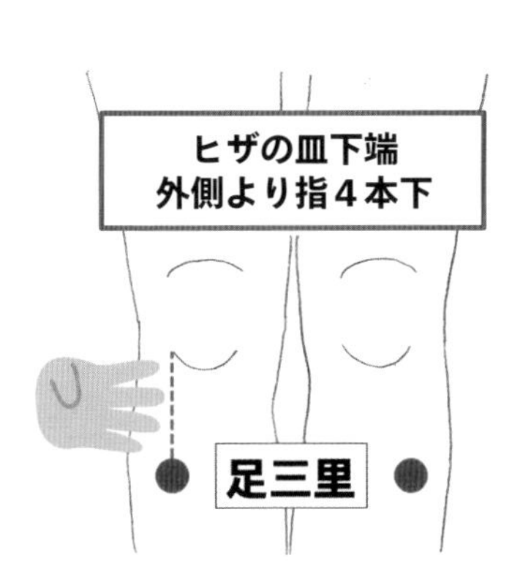

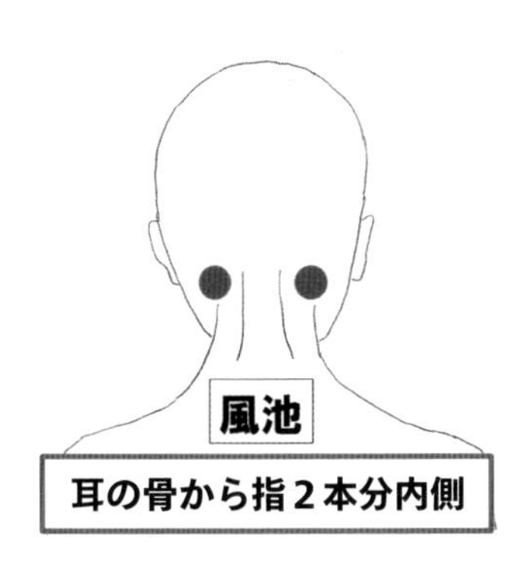

です。また変形性膝関節症にも効果的です。

体操3

・足三里（あしさんり）

全身を調節し活力をつけるツボで、全身症状の改善に良いです。慢性胃炎や食欲不振、吐き気、二日酔いに有効で、乗り物酔い、のぼせ、冷え、尿もれなどの治療に用いられます。また高血圧症、うつ状態、老化による疲労感を改善します。

体操15

・風池（ふうち）

頭痛、体の節々が痛い、発熱など風邪の症状に対する特効ツボです。めまい、立ちくらみ、乗り物酔いなどに効果があり、目の疲れにも有効です。

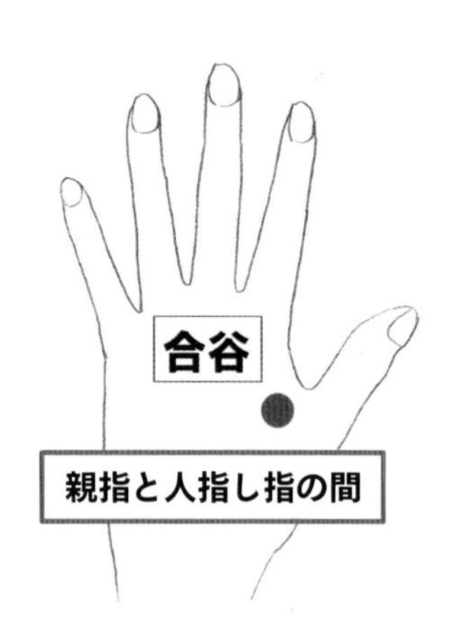

体操17

・肩井（けんせい）

肩こりの特効ツボです。肩や首すじの痛みやこり、頸肩腕（けいけんわん）症候群などに効果があります。過労、のぼせ、冷え症などに良く、頭痛やうつ病、自律神経失調症などの神経系疾患にも有効です。「中風七穴（ちゅうふうしちけつ）」の一つでもあり、半身まひや言語障害の治療にも用います。

体操26

・合谷（ごうこく）

万能ツボで、鎮痛効果が高いです。頭痛、歯痛、のどの痛み、鼻血、鼻水、口内炎、耳鳴り、視力低下、脳血管障害、てんかん、むち打ち症など多岐にわたります。下痢や便秘、腹痛、神経マヒにも効果があります。さらに高血圧症、むくみ、疲労、倦怠感などに対する効果もあります。

②腕や脚を動かす

体操25は「**甩手（スワイシヨウ）体操**」と呼ばれるもので、中国で2000年以上前から行なわれている健康法です。「甩」とは振り回す、放り投げるという意味で、「両腕を振り回しながら、放り投げるような体操」です。

日本でも、ラジオ体操の中に似たような動きが取り入れられており、1970年代に「腕ふり体操」という呼び方で紹介されました。かつて「水戸黄門」入浴シーンを長年されていた女優さんも取り組んでいるといいます。

- 両足を肩幅と同じくらい開いて立ちます。
- 身体の中心を軸にして両腕を左右に巻きつけるようにひねります。でんでん太鼓のイメージで回転するように動かします。

類書によれば、全身運動であり、血行促進、呼吸力を鍛える、体幹の安定、リフレッシュ効果、脳機能を高める、疲労回復、基礎代謝の向上などが期待されるようです。肩こり、腰痛、消化不良、便秘、痩身、冷え性、生活習慣病、介護予防にも効果があるといわれています。

この体操は、椅子に座って行なうことも可能です。

また、著者が人生で初めて見た**体操22**は、**体操25**「甩手（スワイショウ）体操」の「脚バージョン」をシツイさんが、自ら考案して行なっているものといえます。

シツイさんは「脚」を脱力して放り出す、放り投げるような動きをしており、一般的な「力を込めて蹴とばす」動作ではないことを明記しておきます。

この体操も、椅子に座って行なうことが可能です。

この体操は、実際にやってみていただくと、股関節や膝関節、足関節の血行が良くなり、脚が全体的に温かくなります。歩く際にも、脚が軽やかになって歩きやすいといいます。

片足が、しっかり速く挙がる様子の**体操23**では、大腰筋（だいようきん）が強く、そして維持されていることが分かります。
シツイさんは、この大腰筋を維持されていることによって、円背にならずに背中がまっすぐであり、若い人と同等の歩き方を維持されていると推察されます。
この体操も、椅子に座って行なうことが可能です。

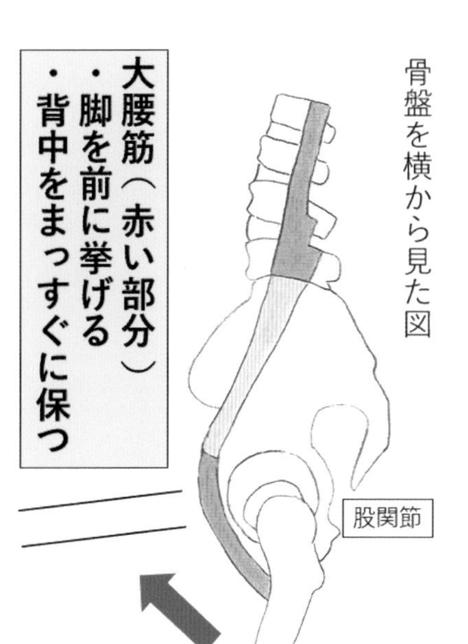

著者が高齢の患者様を施術する際は、大腰筋を重視して機能訓練を行なっています。
大腰筋に関して詳しい解説をご希望の方は、巻末の「参考図書」をご参照ください。

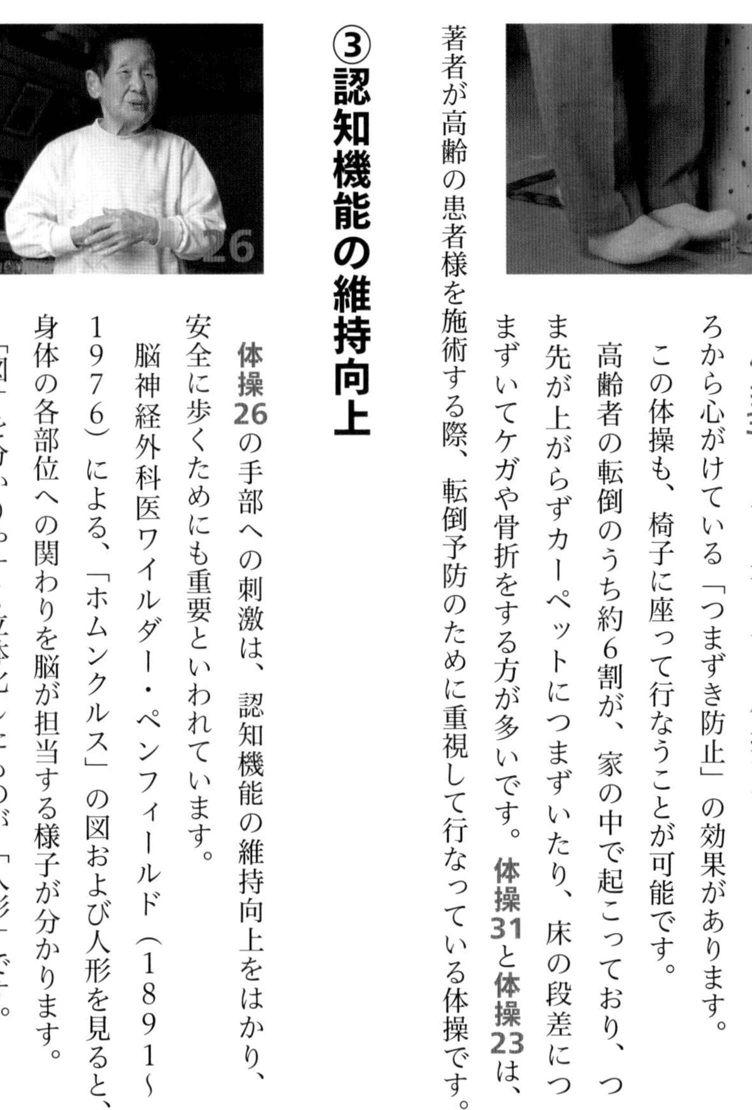

体操31は、つま先を上げる体操です。シツイさんが、日ごろから心がけている「つまずき防止」の効果があります。
この体操も、椅子に座って行なうことが可能です。
高齢者の転倒のうち約６割が、家の中で起こっており、つま先が上がらずカーペットにつまずいたり、床の段差につまずいてケガや骨折をする方が多いです。**体操31**と**体操23**は、著者が高齢の患者様を施術する際、転倒予防のために重視して行なっている体操です。

③認知機能の維持向上

体操26の手部への刺激は、認知機能の維持向上をはかり、安全に歩くためにも重要といわれています。
脳神経外科医ワイルダー・ペンフィールド（１８９１〜１９７６）による、「ホムンクルス」の図および人形を見ると、身体の各部位への関わりを脳が担当する様子が分かります。
「図」を分かりやすく立体化したものが「人形」です。

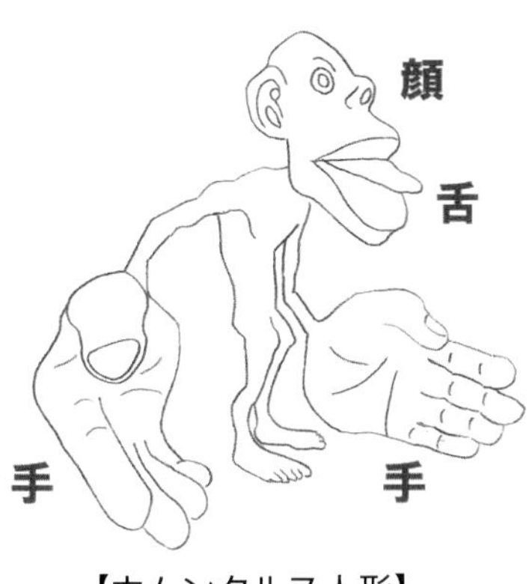

【ホムンクルス人形】

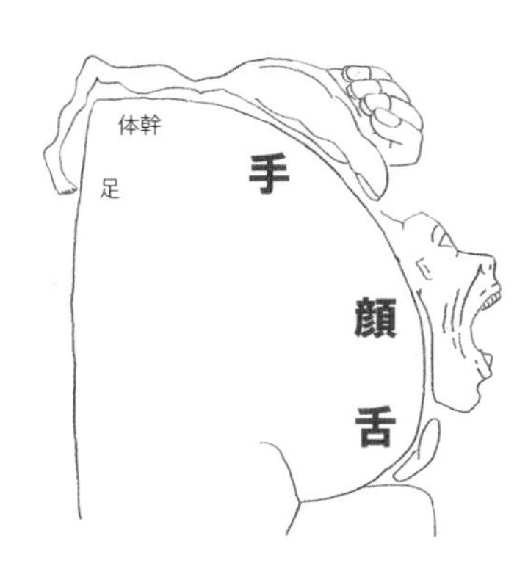

【脳の断面図・左側】

脳から各部位への指令をする「運動神経」は、体性運動野より出力されます。各部位から脳への報告をする「感覚神経」は、体性感覚野へ入力されます。

上図左「ホムンクルス人形」の、肥大化された手部をご覧いただければ、手がいかに脳に対して大きな影響力をもっているかが分かると思います。

身体の各部位から脳を刺激することで、脳を活性化することができます。人形の肥大化された部位を見れば一目瞭然の「手」、特に「手指」が、脳の活性化に適切であることが、お分かりいただけるはずです。

シツイさんは、理容仕事の際に手指を多用するため、日ごろから手のケアを入念に行なっています。

また、握力も強いです。

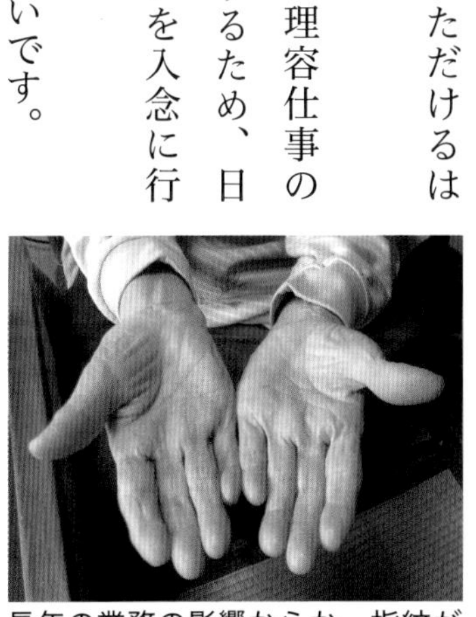

長年の業務の影響からか、指紋が指10本とも消失している

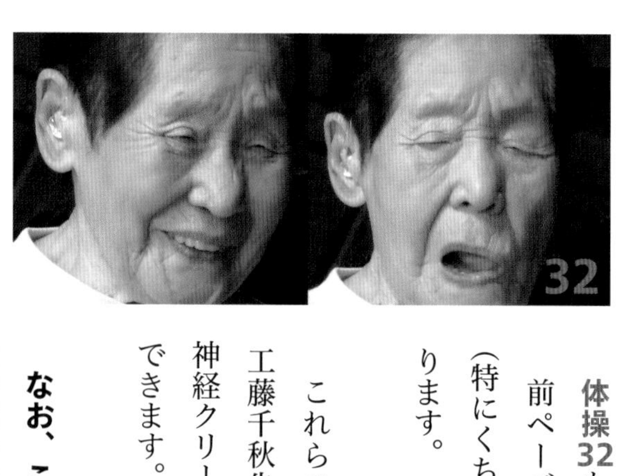

体操32も、認知機能の維持向上をはかるといわれています。前ページのホムンクルス人形を見ると、肥大化された顔面（特にくちびる、舌や歯茎）への刺激も有効であることが分かります。

これらの、身体の各部位から脳への刺激については、医師工藤千秋先生の著書『脳神経外科医が教える 病気にならない神経クリーニング』をご覧いただくと、その詳細を学ぶことができます。

なお、これらの体操はシツイさんの自己流体操であるため、自分に合わないと思ったら無理をなさらず、専門家へ相談していただくことをお勧めします。

5 シツイさんの歩きかた

高齢になり円背（背中が丸くなる）になると、膝関節も曲がった状態の歩行になり、歩くときに使う筋肉が変化していきます。

若い時は歩く際、前に出した脚よりも後ろにある脚の筋力を使って、けとばすことにより推進力を出して前に進んでいきます。

ところが、円背で膝が曲がった状態の高齢者の場合、前に出した脚を支点にして、前脚の太もも後ろ側の筋肉（ハムストリングス）を使って、身体を前に引っ張って進みます。

自動車に例えれば、若い時は後輪駆動（ＦＲ）、高齢で円背になると前輪駆動（ＦＦ）のようなイメージです。

若い人は
後ろ側にある脚で
身体を前方に押し出す

高齢になり
背中が丸く曲がってくると
ヒザを曲げて歩くようになる

前に出した脚を支点にして
身体を前に引き寄せる ▶

シツイさんは
大腰筋が強いため
片足立ちが得意

背中がまっすぐの姿勢で
歩くことができる

シツイさんは、前出の**体操23**の解説のとおり、大腰筋が強く維持されているため、円背にならず、若い人と同様に、後ろ脚を使って推進力を出す歩き方となっています。

また、シツイさんは、つまずき防止のために、挙げた脚を床に着ける際は、かかとから接地するように心がけているといいます。

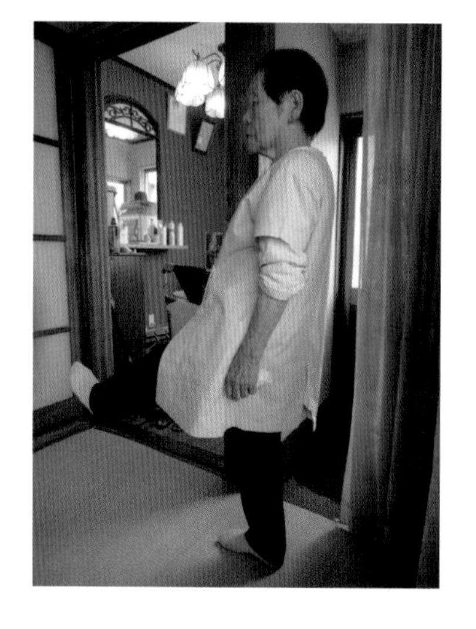

6 シツイさんの食生活

シツイさんは、毎日、かならず同じものを召し上がっているという訳ではありませんが、ある日の食事の一例を朝、昼、晩に分けてご紹介します。

朝

チーズをはさんだ食パン
魚肉ソーセージ1本
温野菜サラダ（かぼちゃ・人参・小松菜・玉ねぎ・キャベツ・大根）
ヨーグルトに、ココアときな粉をそれぞれ小さじに山盛り1杯かける。
薬膳 煎じ茶

もち麦を混ぜた麦飯
豚肉野菜炒め
昆布の佃煮、煮豆
ワカメの味噌汁
つけもの（白菜・きゅうり）
薬膳 煎じ茶

晩

もち麦を混ぜた麦飯
納豆
豆腐
大豆とひじきの煮物おから

つけもの（白菜・きゅうり）

薬膳 煎じ茶

これらは、ほんの一例ではありますが、朝は魚、昼は肉、夜は大豆を食べており、筋肉を作るたんぱく質をバランス良く摂取できる食事のようです。

双子の長寿で知られた「きんさん　ぎんさん」も、それぞれ赤身魚、白身魚、フライドチキンを良く召し上がっていたようです。

ご参考までに、あるテレビ番組で取り上げられていた「１００歳超えの長寿の方が良く食べる物」ランキングは、

1位 豚肉	**2位 青魚**	**3位 牛肉**	**4位 卵**	**5位 チーズ**

となっているそうです。

休憩中のシツイさん

7 シツイさんの「薬膳 煎じ茶」

シツイさんの息子である英政さんが平成31年4月に特許申請をした「薬膳 煎じ茶」は、アザミ・ミョウガ・ムラサキツユクサを煎じて合わせた特製茶です。

その製法が特許申請内容になっていますが、アザミは解毒・整腸作用、ミョウガは集中力を高めて認知症予防、ムラサキツユクサには糖尿病予防の働きがあり、箱石シツイさんは20年ほど朝昼晩、飲み続けているそうです。

薬膳とは、まだ病気ではないけれども健康を害する兆候がみられ、放っておくと病気になってしまう状態、いわゆる「未病」に気づき手当てをするものです。

箱石家では日ごろから、「薬膳 煎じ茶」により予防医療と介護予防が行なわれているようです。

8 シツイさんの「長生き講演会」

© ケーブルテレビ株式会社

令和元年9月8日、シツイさん102歳の時、「とちぎ市民活動推進センター くらら」にて、シツイさんによる講演会が開催されました。シツイさんが単独で行なう初の講演会となりました。

主催は、著者が代表をつとめる「107歳まで歩こう!! きんさんに学ぶ会」。定員40名の募集でしたが、100名以上の高齢者の方々からお申し込みがあり、くららさんのご協力により、椅子を増やして61名様までご参加いただきました。

当日は、しもつが薬局 薬剤師・中村大輝先生よりお力添えがあり、薬膳について解説をしていただきました。

ご参加者の方々は「身体が柔らかい！」「100歳を

© ケーブルテレビ株式会社

すぎても身体の手入れをしっかりなさっているからすごい！」「座ってできる体操だから私にちょうど良い」「まるで60歳代に見える！」など、驚きのご様子でした。

そして一番多かったご意見は「身のこなしがはやい」「動きがはやい」でした。

著者は、シツイさんの動きの速さや、身のこなしの良さ、そして背中がまっすぐであること、１００歳を超えても現役で働いておられることについて、ある仮説を立ててみました。

次章でそれをご紹介します。

9 100歳すぎても歩ける理由

著者が高齢者の運動器、機能改善に関わらせていただき20年を経過しましたが、「高齢者の筋肉トレーニングはゆっくりと行なっていただく」のが定石であると教育を受けてきました。

そして臨床の場面で「ゆっくり動かしてください」と、患者様に申し上げてきました。

しかし、シツイさんの体操は動きが速く、ゆっくり動かす部分が少ないのです。

私が今まで患者様に行なってきたことが、シツイさんによって見事にくつがえされてしまったようです。

ここで、筋肉について少し述べさせていただきますが、類書が多く出ていますので、さらに詳しくご希望の方は、巻末の「参考図書」をご覧ください。

ここでは簡潔にご説明します。

ヒトの筋肉には、「速筋（そっきん）」と「遅筋（ちきん）」があります。

速筋…魚に例えると白身魚「ヒラメ」が、エサを取るときのように、素早く動く。
遅筋…魚に例えると赤身魚「マグロ」が、海を回遊するような、持続性がある動き。

速筋（白筋）は、瞬発力があり短距離走に使われますが疲れやすく、遅筋（赤筋）は、大きな力は出せませんが持久力があり疲れにくいです。

そして加齢により減少しやすい筋肉は「速筋（白筋）」であり、筋肉の全体量を落とさないためには「速筋（白筋）」をしっかり鍛えることが望まれます。
その「速筋（白筋）」を維持向上するには、自重による体操や、筋肉トレーニングを行なう必要があります。

一方の「遅筋（赤筋）」は、ウォーキングなど有酸素運動の時によく使用します。
つまり、ウォーキングだけだと「遅筋」は多用しますが「速筋」の使用が少ないため、筋肉の全体量を維持することは困難です。

シツイさんの場合、自己流体操（自重による筋肉トレーニング体操）で素早く動かすことで「速筋」を維持強化して、毎日の散歩により「遅筋」を維持されているのではないか、というのが私の仮説です。

身体を支える役割も担う「筋肉全体量」の減少を防ぐには、

・自重による体操や筋肉トレーニングで「速筋」を強化すること
・ウォーキングによって「遅筋」を使用すること

この両方が必要なのです。

「ウォーキングをしていれば、足腰は大丈夫」という「神話」があるために、近年は散歩している方を多く見かけるようになりましたが、ウォーキングだけではなく、筋肉トレーニングによって「速筋」を鍛えていただくと、さらに効果的です。

「ウォーキング神話」とは、高齢者の方がウォーキングさえしていれば、寝こむことなく、いつまでも歩けるだろうという考え方のことです。

この神話のため、自重による体操や筋肉トレーニングが軽視されることがあります。**歩行困難な方は、無理に歩行訓練をするよりも、座ったままの体操やトレーニングを行なって「速筋」を使用すると、筋肉量が増えて強くなる**ことを認識していただきたいと思います。

かつて国民的人気者になった双子の長寿「きんさん・ぎんさん」の姉、成田きんさんが、筋力低下によって一度は歩けなくなったことは、あまり知られていません。

きんさんは、脚の筋肉トレーニングを行なって、再び歩けるようになり、天寿を全うする107歳まで歩き続けることができました。

きんさんが、歩けるようになった理由は、太もも後ろ側の筋肉（ハムストリングス）を強化したからであり、歩行訓練を多く行なって再び歩けるようになった訳ではないということを、明記したいと思います。

「ウォーキング神話」の影響により「歩きの練習」にこだわりすぎてしまい、体操や筋肉トレーニングを、おろそかにしてしまう患者様を見受けることが多くあります。

私は臨床の場面で、高齢の患者様に「自重による体操や筋肉トレーニングは必ず効果が出ます」とお伝えし続けていますが、患者様の気力や体力の低下、そして病状などにより、継続することが難しいという事情もあります。

そこで高齢で体操が好きでない方にも、効率よく簡単にできる必要最小限の筋肉トレーニングを日々考えながら、患者様の機能訓練を行なっています。

私が、日ごろ患者様に行なっている機能訓練とマッサージの一例を、次章で箱石シツイさんへの施術としてご紹介します。

10 シツイさんへの施術

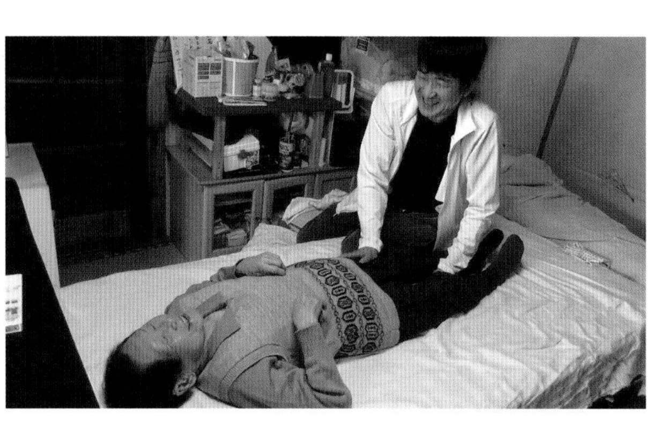

本書の冒頭でもご紹介したとおり、箱石シツイさんは東京2020オリンピック聖火リレーのランナーに応募し選ばれました。

無事に聖火リレーを成し遂げていただくために、著者が鍼灸マッサージ師として行なった施術を紹介させていただきます。

①機能訓練・マッサージ・はりきゅう（鍼灸）

著者が、シツイさんのご子息・英政さんより聖火リレー伴走の打診をいただいてから、主に週末の土日に、シツイさんへの全身的なマッサージ施術と関節可動域運動（ストレッチ）、筋力強化運動を施術しました。

膝関節がO脚ぎみであり、痛みや違和感が時々あらわれるといいます。
シツイさんが長時間の歩行で膝関節内側部に疼痛が現れないかどうかが気になり、ある日の早朝、私はシツイさんと一緒に散歩コースを歩いてみました。後半に多少の息切れは見受けられましたが、脚力についてはは２００メートルの聖火リレーは大丈夫そうです。
歩行を向上するため、膝関節の周りをきたえる運動（膝の曲げ伸ばし）を、毎日の体操に追加していただくとよろしいですと、お伝えしました。
また、長年の理容仕事による職業病のような症状と考えられますが、肩関節周囲が非常に硬くなっています。シツイさんは身長が１３８センチメートル（体重40キロ）と小柄であるため、日常の理容仕事の際、腕をより高く前に上げる必要があると考えられ、肩関節周囲の筋肉を多用する傾向があるようです。そのため特に肩上部が硬くなっており、肩こり症状が現れていると推察されます。
そこで肩関節周囲のマッサージと関節可動域運動（ストレッチ）を行ないました。
またリレー当日、階段を昇る予定があるとうかがい、近所の体育館入り口にある階段で昇り降りを実際に行なってみました。

＊　　＊　　＊

令和2年1月15日、シツイさんは自宅玄関内で転倒し、土間に落下した際に、両ヒザを土間に強打し、頭部も扉にぶつけて受傷しました。そこで起き上がる際に、腰も捻ったために疼痛が現れて、理容仕事も日常生活動作も一時的に困難となりました。
シツイさんは、英政さんと共に1月20日に医療機関へ受診しました。
聖火リレーのドクターストップは無かったそうですが、心身共に疲弊しているご様子であると、英政さんに電話でうかがいました。

その週末25日に、著者がシツイさんのご様子を見に訪問いたしましたが、腰とヒザの痛み、そして下肢の筋力低下や心労などがあり、ベッドに伏せておられました。

私は、ベッドで横たわっているシツイさんにホットパックで温熱療法を行ない、腰下肢のマッサージ施術にて疼痛の緩和を試みました。

その後、立ち上がりなど動作を拝見し、外に出てご一緒に歩行をしてみましたが、時々よろめいてしまうため、私の主観で聖火リレーは難しいかもしれないという印象でした。

歩行（散歩）後に、シツイさんと昼食を共にいただいて一休みしてから、再びベッド上に横向きに寝た姿勢で、電子鍼と隔物灸による施術を足三里などツボ数カ所に行ない、下肢の筋力強化運動を30回実施しました。

その後、灸（火を使用しない安全な家庭用）を、英政さんにお渡しして、私が訪問しない日にも、毎日ツボへ灸を行っていただくように提案しました。

筋力強化運動は、できれば徐々に回数を増やして毎日続けていただくようお伝えして、その日は帰宅しました。

その翌日より英政さんからお電話で、お灸を毎日実施しているとご報告をいただきました。筋力強化体操については、１月26日は40回、27日は50回、28日は６８５回、29日は２０００回と、連日、英政さんよりご連絡をいただき、ヒザの痛みの緩和と安定した歩行を取り戻しつつあることを確認しました。

シツイさんは１月30日には、２人のお客様の調髪をなさったといいます。

その翌日31日には、２８００回筋力強化体操をなさいました。

２月１日の時点で、私はシツイさんご本人に電話をして、ヒザの痛みがないことを確認できました。

私は生涯で、このような高齢者にお目にかかったことは一度もありません。

シツイさんの驚異的な回復力、そして精神力の強さを、改めてうかがい知ることができました。同時に、聖火リレーをやり遂げることができるはずだと確信しました。

私にとって、この出来事は感動と感服の極みであり、シツイさんと共にリレーに参加させていただけるという栄誉と喜びを、より一層かみしめるものでした。

著者もリレーまで体調を整えるために、高電位治療器に毎日のってコンディションを維持しております。

②メディカルアロマ 脳足活®マッサージ

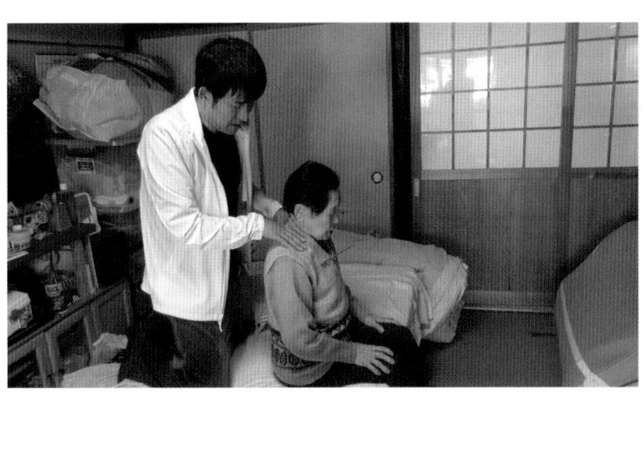

医療法人社団くどうちあき脳神経外科クリニック院長・医師工藤千秋先生からご教授いただいたアロマセラピーによるマッサージ施術を、シツイさんに受けていただきました。

アロマセラピーは、認知機能の維持向上に効果があると言う医師が、全国的にも増えています。

シツイさんは、もともと不眠になりがちなために、午後はカフェイン摂取をしません。

リラックス効果のある、ラベンダーとオレンジオイルを配合させたアロマオイルを使用し、アロマをミニ扇風機で嗅いでいただきながら施術をしました。

③おとなの脳足活®ヨガ

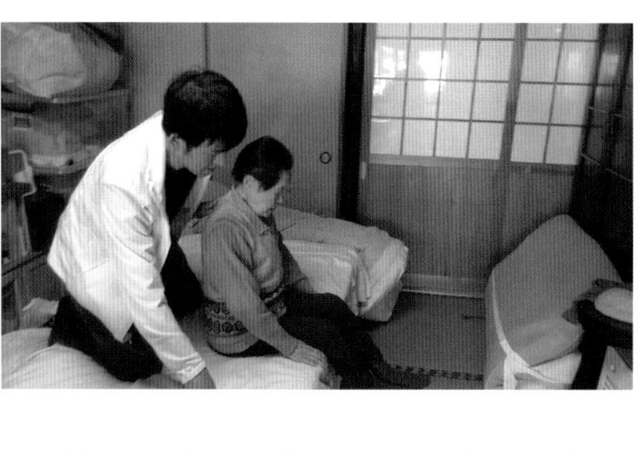

ベッドに腰掛けた姿勢で「猫のポーズ」「杖のポーズ」「鳩のポーズ」などを行なっていただきました。
ヨガは、若者が行なうイメージですが、高齢者の方々にも「転倒予防・認知機能の維持向上」などに効果があるといわれています。また一般的に加齢と共に、筋肉が縮こまり固まりやすくなりますが、ヨガのポーズにはストレッチ効果があり、筋肉が柔軟になることが期待されます。
近年、ヨガの医学的効果について様々な研究がされているそうです。ストレスの軽減や不眠の解消といった「未病」に対応するほか、不定愁訴への効果もあるといわれています。身体の機能調節に関わる自律神経を整えて、心身を良い状態に保つといわれており、日常生活動作にも良い影響があります。

④クノンボール®

「きんさん　ぎんさん」の姉、成田きんさんが天寿を全うされる107歳まで歩行することを可能にした、名古屋市の久野信彦先生（柔道整復師・薬剤師）が開発したクノンボールエクササイズを、シツイさんに取り組んでいただきました。ボールをヒザにはさんで立ち上がる体操です。きんさんは当時、数を数えられなくなっていたそうですが、それらの症状も、久野先生による脚のトレーニング指導によって改善されたといいます。

久野先生に、箱石シツイさんの様子をお話しすると「箱石さんは、内転筋（太もも内またの筋肉）をきたえると良いですね」とアドバイスをいただきました。

私は現在、クノンボール認定指導者として、クノンボール指導員の養成に関わり、有限会社プライマリーの柿沼氏と共に、クノンボールを広める活動を行なっております。

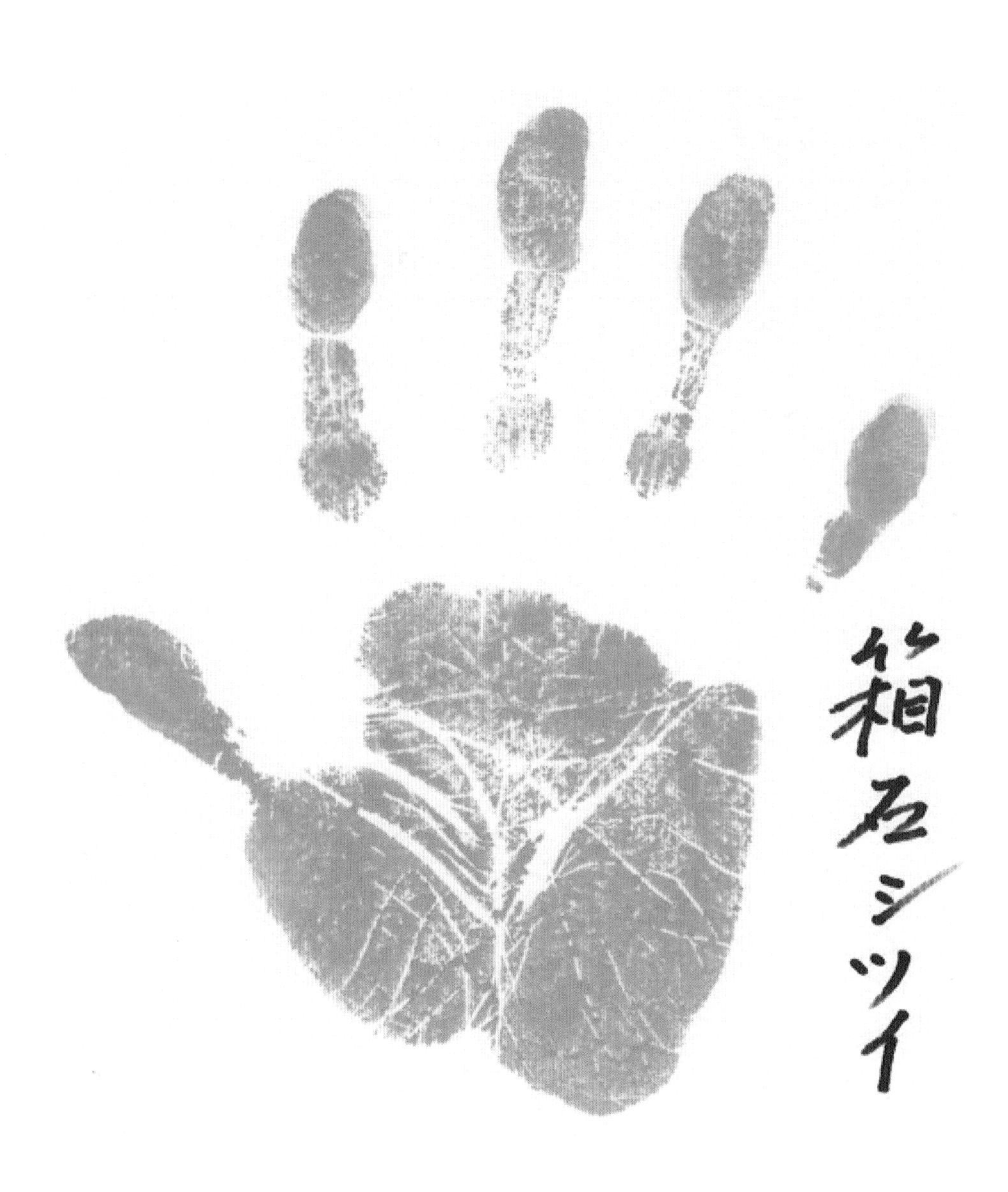
箱石シツイ

おわりに

ここまで、著者が箱石シツイさんに出会ってからの出来事と、私の見解を述べさせていただきましたが、聖火リレー後も箱石シツイさんの軌跡は、まだまだ続いていくと考えております。

2019年は私にとって喜びや悲しみ、そして苦労も多い1年でしたが、シツイさんが今までたどってこられた道すじ、軌跡は、私のそれとは比べものにならないくらい波瀾万丈であったと推察されます。

しかし戦後生まれの私には、想像することしかできません。

私は2019年10月の台風19号に被災したものの、どうにか避難できて身体は無事に済みました。被災の翌日には妻の実家の家族が復旧に駆けつけてくれました。

また、我が家の設備を直すために、専門業者の方々にも迅速にご対応を頂きました。

自衛隊による仮設風呂にも、私と妻で毎日入浴しに行っておりました。
今回の災害は、はじめて他人事から自分事になりました。
テレビの画面だけでは、この災害の大変さは分からない、伝わらないだろうということも痛感しました。
それと同様に、書籍によって、箱石シツイさんが戦争により大変な苦労をされたことを、どれだけ皆さまにお伝えすることができるのかと考えて、紆余曲折をしながら執筆させていただきました。
戦後日本の高度成長を支えてきた方々が、それぞれ晩年にさしかかり、「まさかこんなに長生きするとは思わなかった」とおっしゃる患者様に、私は日々向き合いながら施術をさせていただいております。

日本全体的に高齢者人口が増えて、また介護保険制度のたび重なる改定によって、制度の複雑さが更に増してきているそうです。もっとシンプルにすることはできないのでしょうか。

私の鍼灸マッサージ業界でも、多くの改善すべき問題がありますが、私がどうしても腑に落ちない介護保険制度について、すこし述べさせていただきます。

2019年11月1日に、国を相手に東京地方裁判所へ訴訟を起こした介護職3名の方々がおられることをご存じでしょうか。

訪問介護職員が勤務する際に、利用者宅へ向かう時間に賃金が発生しないこと、利用者様のキャンセルが発生した場合に賃金が支払われないこと、など国が定めた「介護保険法」という法律が、介護労働者にとって、そもそも違法であるという訴えです。

介護保険制度は2000年より施行され、20年の節目を迎えます。

要支援1～要介護5まで区分されており、重度（要介護5）になると、介護保険報酬が増額される仕組みです。

著者も2011年3月より、機能訓練特化型デイサービスを4店舗開業いたしましたが、介護保険制度への不信感が次第に大きくなり、採算の不安な面など思案して経

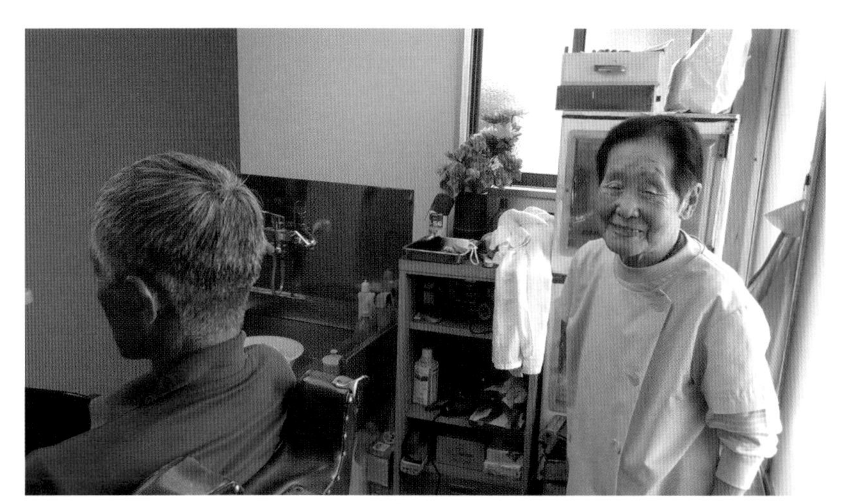

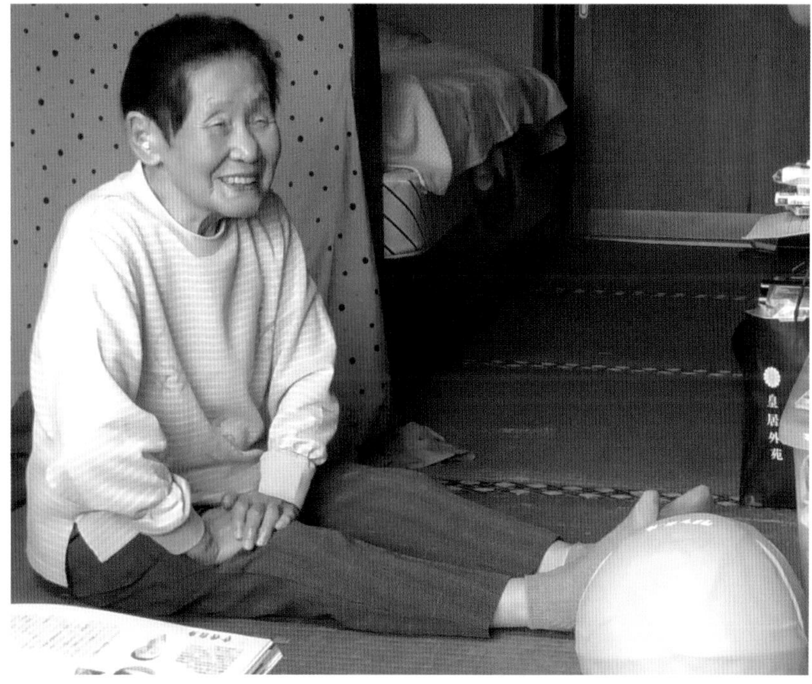
皇居外苑

営を譲渡して引退した経緯があります。
たとえば、分かりやすく極端なケースですが、あるデイサービスの経営者が自店に要介護5の利用者様20名に通っていただき、その売上が月50万円だとします。
そのデイサービスが利用者様の機能改善に取り組み、利用者様全員が要介護1まで改善したら月の売上が15万円に減りました。これが大まかですが介護保険制度です。
もしも、この経営者の立場だとしたら、利用者様が健康を取り戻すように心から願うことができるのか。利用者様の機能改善に取り組む意欲が、果たしてどのくらい起きるのか。
利用者様のために、寄り添って頑張って機能改善を果たしたあとに、自分自身が生活に困窮するかもしれないのです。今の制度では、介護労働者が頑張っても報われづらい傾向があると考えております。
介護保険制度は3年に一度の改定などにより、利用者様の機能改善の報酬加算を見直しているようですが、その結果は、業界の離職率や倒産件数を見れば、お分かりいただけるはずです。
現在、介護保険制度のもと、職を持って生活をしている方々が、大きな声で介護保

険制度の問題を提起することは、非常に勇気がいることだと思います。

この3名の方々が契機となり、介護保険制度が見直され、働く人も高齢の利用者様にとっても、健全な環境になりますことを願うばかりです。

少し本題からずれてしまいましたが、高齢者の方々が、なるべくサービスを受けずに済むことは、箱石シツイさんに近づくことになるのではないかと思います。

最後に、私の師でもある久野信彦先生の書籍『100歳まで歩ける！きんトレ』より抜粋した内容を掲載し、筆をおかせていただきます。

（上写真＝成田きんさんと久野信彦先生）

自らの意志と力で、思うまま人間が行動できるということは、他力に頼らずに生活の諸事をこなせるだけでなく、いざというときには自分の身を守る行動を取れるということです。

なるべく他人の手を煩わせることなく生きていくために、必要不可欠な能力といえるでしょう。もちろん不慮の事故や病気で歩けなくなる不幸に見舞われることもありますし、最晩年の一時期はどうしても人に頼らずに過ごすことは難しくなります。これは仕方ありません。

しかし、少なくとも加齢や生活習慣の結果から、「歩ける」という健康が脅かされているならば、その改善を図ることはもはや義務です。なぜなら自らの不健康のために、健康である他の人の手をひとつ使ってしまうことは、この国の生産力をひとつ減らしてしまうことでもあるからです。

あとがき

箱石シツイさん、息子様の英政さん、嫁様の廣子さんには、著者だけでなく妻にも、いつもお気遣いをいただき感謝を申し上げます。

日ごろよりお世話になっているケアマネジャー様、医療介護関係者様、そして私の人生相談に乗ってくださる患者様、いつも有難うございます。

私を温かく見守ってくださり、師匠である先生方にも感謝いたします。

台風19号被災の翌日午前に、復旧のためにかけつけてくれた妻の実家の家族。箱石英政さんも被災の翌朝すぐにお電話を下さいました。本当に有難うございます。

そして私の家族にも感謝します。苦労して私を育て上げてくれた両親（克弘・幸）。私の目の前にどんな困難が起こっても、黙って付いてきてくれる妻 美保子に感謝します。

箱石シツイさんが東京五輪聖火リレーを、無事に行なうことができますよう、祈念いたします。最後までお読みくださり、有難うございました。

２０２０（令和２）年2月吉日

髙橋 洋樹

シツイさんと著者

参考図書（敬称略）

・『脳神経外科医が教える 病気にならない神経クリーニング』工藤千秋
・『100歳まで歩ける！ クノンボールエクササイズ』久野信彦
・『100歳まで歩ける！ きんトレ』久野信彦
・『老筋力　100歳になっても自力で歩きたい人へ』久野信彦
・『百歳まで歩く 正しく歩けば寿命は延びる！』田中尚喜
・『寝たきり老人になりたくないなら 大腰筋を鍛えなさい』久野譜也
・『腕振り健康法 スワイショウ入門』楊進
・『脳神経外科医が実践する ボケない生き方』篠浦伸禎
・『「脚」を鍛えると「脳」が若返る！』石原結實
・『スポーツ医師が教えるヒザ寿命の延ばし方』小山郁
・『ボケたくないなら筋トレをやりなさい』本山輝幸
・『親ゆびを刺激すると脳がたちまち若返りだす！』長谷川嘉哉
・『メディカルフィットネスＱ＆Ａ』日本メディカルフィットネス研究会
・『〈香り〉はなぜ脳に効くのか アロマセラピーと先端医療』塩田清二
・『よくわかる股関節・骨盤の動きとしくみ』國津秀治
・『よくわかる足部・足関節の動きとしくみ』櫻井亮輔
・『よくわかる膝関節の動きとしくみ』伊能良紀
・『一生歩こう！健康脚づくり』米倉啓恵
・『誰でもわかる動作分析』小島正義
・『50歳からのいきいきソフトヨガ』山田いずみ

髙橋 洋樹（たかはし・ひろき）

鍼灸マッサージ師・ケアマネジャー・クノンボール認定指導者

１９７２年　埼玉県草加市生まれ
１９９５年　明治大学商学部商学科 卒業
１９９９年　東京医療専門学校本科 卒業
２００８年　髙橋治療院 開業（東京都足立区）
２０１１年　リハビリフィットあいおい 開業
２０１２年　トレーニングルームあいおい 開業
２０１３年　トレーニングルームあいおい大師 開業
２０１４年　マッサージデイあいおい 開業
２０１５年　あいおい訪問医療マッサージ
（２０２０年４月１日より機能訓練 あいおいマッサージと改称）開業（栃木市に移住）
２０１６年　あいおい足トレセンター60 開業
２０１７年　東京大学大学院 医学系研究科 医学教育国際研究センター 医学教育基礎コース 修了
栃木市生涯学習講師

［所属団体など］
・機能訓練 あいおいマッサージ 代表
・ＪＡＭ日本鍼灸医療マッサージ協会 代表
・全国鍼灸マッサージ協会 会員
・日本メディカルフィットネス研究会 会員
・日本認知症予防学会 会員

写真撮影　髙橋 美保子

103歳のスーパーおばあちゃん
箱石シツイさん 健康長寿のヒケツ

二〇二〇年(令和二年)四月十五日　初版第一刷発行

著　者　髙橋 洋樹
発行者　伊藤 滋
発行所　株式会社自由国民社
東京都豊島区高田三―一〇―一一 〒一七一―〇〇三三
電話〇三―六二三三―〇七八一 (代表)

造　本　JK
印刷所　新灯印刷株式会社
製本所　新風製本株式会社